DE LA

# LINGUISTIQUE

NED

D0415993

# VÉRONIQUE SCHOTT-BOURGET

Agrégée de lettres modernes

# APPROCHES DE LA LINGUISTIQUE

ouvrage publié sous la direction de
Claude Thomasset

**NATHAN**

*À mon fils Tristan*

Conception de couverture : Noémi Adda
Conception graphique intérieure : Agence Media

« Le photocopillage, c'est l'usage abusif et collectif de la photocopie sans autorisation des auteurs et des éditeurs.
Largement répandu dans les établissements d'enseignement, le photocopillage menace l'avenir du livre, car il met en danger son équilibre économique. Il prive les auteurs d'une juste rémunération.
En dehors de l'usage privé du copiste, toute reproduction totale ou partielle de cet ouvrage est interdite. »

© Éditions Nathan, Paris, 1994
ISBN 209 190540 0

# SOMMAIRE

# INTRODUCTION

**Apparition de la linguistique**

La réflexion sur le langage humain, sur sa spécificité et son rapport avec la réalité est loin d'être récente, puisque déjà dans l'Antiquité, Platon s'y intéressait. Mais l'apparition de la linguistique, en tant que discipline à part entière, date du XIXᵉ siècle, le terme *linguistique* étant attesté pour la première fois en 1826.

Un nom a contribué à son essor : Ferdinand de Saussure, dont le *Cours de linguistique générale*, publié en 1915, joua un rôle déterminant dans l'évolution de la linguistique moderne. Il définit la linguistique comme une science ayant pour objet *la langue envisagée en elle-même et pour elle-même* et montre que celle-ci est un système de signes et de règles. La tâche du linguiste est donc d'en expliquer le fonctionnement.

**Des contours extensibles**

Si chacun s'accorde à considérer la linguistique comme un domaine des sciences humaines, les frontières de cette discipline sont variables suivant les linguistes. Il y a les fausses querelles, comme celle concernant le lien entre la linguistique et la sémiologie (étude des signes) : pour Ferdinand de Saussure, par exemple, la sémiologie englobe la linguistique ; pour Roland Barthes, c'est l'inverse ; et pour d'autres encore, aucun rapport d'inclusion n'existe entre ces deux disciplines, la sémiologie étant alors considérée comme l'étude des systèmes de signes autres que linguistiques. Qu'importe ce désaccord, puisqu'il n'est causé que par des définitions différentes du terme *sémiologie* et qu'il ne remet pas foncièrement en question l'objet de la linguistique.

Tout autre est la divergence qui existe chez les linguistes sur ce que recouvre le domaine de la linguistique. La définition saussurienne de la linguistique, étude de *la langue envisagée en elle-même et pour elle-même* ne s'occupe pas de certaines composantes de la communication : la phrase prononcée dans une situation particulière (= l'énoncé), l'acte même d'énoncer (= l'énonciation) ou encore celui qui énonce cette phrase (= l'énonciateur). La prise en compte de ces paramètres a considérablement agrandi l'horizon de la linguistique, comme en témoigne l'existence de disciplines telles que la psycholinguistique, la sociolinguistique et surtout la pragmatique, étude de la langue en situation.

C'est précisément cette étude de la phrase dans une situation particulière qui fait l'objet de divergences : pour certains linguistes, la pragmatique relève de la linguistique, pour d'autres, non, d'autant qu'elle fait intervenir des paramètres extra-linguistiques, difficilement formalisables.

**Démarche de cet ouvrage**

Conception large ou conception étroite de la linguistique, toutes deux sont intéressantes ; aussi cet ouvrage ne prendra-t-il pas parti pour l'une d'entre elles : il a pour but d'exposer différentes recherches faites en linguistique. Il s'adresse tout particulièrement aux étudiants de lettres puisque l'étude de la linguistique permet une meilleure appréhension de la grammaire (morphologie et syntaxe d'une langue), de la stylistique (étude du style d'un auteur ou d'un extrait d'œuvre) et de la littérature, comme le montre la parution croissante d'ouvrages utilisant la linguistique pour aborder les textes littéraires. Il va de soi qu'il sera utile aux étudiants des sciences humaines, d'autant qu'il prend en compte une perspective élargie de la linguistique, exploitable en psychologie et en sociologie. Enfin, il peut apporter à toute personne curieuse du fonctionnement de la langue et de l'usage qui en est fait lors d'une conversation, découverte et plaisir. Découverte d'une vie insoupçonnée derrière les mots, plaisir de réfléchir sur la langue, sur soi et sur nos rapports avec l'autre, de se familiariser avec ces mots qui nous sont naturels et pourtant si étranges.

# DU PHONÈME AU MOT

## 1. LE PHONÈME

### 1.1 Le phonème et le graphème

**La double articulation**
Selon le linguiste André Martinet, ce qui distingue le langage humain du langage animal est sa **double articulation**.

Prenons pour exemple la phrase suivante : *Le chat mange.* D'un point de vue **graphique**, cette phrase est constituée de trois mots qui se combinent ensemble pour former une phrase. Ces mots eux-mêmes sont constitués de lettres qu'on appelle **graphèmes** (*chat* comporte quatre graphèmes) qui se combinent également pour former des mots.

D'un point de vue **phonique**, cette même phrase énoncée oralement comporte également trois mots mais la séparation entre ces trois mots, perceptible à l'écrit par quiconque, ne l'est à l'oral que de ceux qui savent l'existence de ces mots en tant qu'unités distinctes à l'écrit. L'énoncé se présente oralement comme une suite de **phonèmes** articulés entre eux.

La succession des mots est la **première articulation**, la succession des phonèmes (ou graphèmes à l'écrit) est la **seconde articulation**.

## Liste des phonèmes du français moderne[1]

| Voyelles | | Consonnes | |
|---|---|---|---|
| [i] | il, vie, lyre | [p] | père, soupe |
| [e] | blé, jouer | [t] | terre, vite |
| [ɛ] | lait, jouet, merci | [k] | cou, qui, sac, képi |
| [a] | plat, patte | [b] | bon, robe |
| [ɑ] | bas, pâte | [d] | dans, aide |
| [ɔ] | mort, donner | [g] | gare, bague |
| [o] | mot, dôme, eau, gauche | [f] | feu, neuf, photo |
| [u] | genou, roue | [s] | sale, celui, ça, dessous, tasse, nation |
| [y] | rue, vêtu | [ʃ] | chat, tache |
| [ø] | peu, deux | [v] | vous, rêve |
| [œ] | peur, meuble | [z] | zéro, maison, rose |
| [ə] | le, premier | [ʒ] | je, gilet, geôle |
| [ɛ̃] | matin, plein | [l] | lent, sol |
| [ɑ̃] | sans, vent | [ʀ] | rue, venir |
| [ɔ̃] | bon, ombre | [m] | main, femme |
| | | [n] | nous, tonne, animal |
| | | [ɲ] | agneau, vigne |

### Semi-consonnes

| | |
|---|---|
| [j] | yeux, paille, pied |
| [w] | oui, nouer |
| [ɥ] | huile, lui |

---

1. Liste extraite du *Petit Robert* 1, 1990, p. 21.

La confrontation des graphèmes et des phonèmes montre qu'à un phonème ne correspond pas toujours un seul graphème et inversement.

| Phonèmes | | Graphèmes |
|---|---|---|
| [ɛ̃] | (p**in**, t**ein**t, b**ain**) | **in**, **ein**, **ain** |
| [ks] | (a**x**e) | |
| [gz] | (e**x**act) | x |
| ø | (mau**x**) | |

Ainsi, au phonème [ʃ] de chat, correspondent deux graphèmes. On dira que **ch**, combinaison de deux graphèmes, est un **digramme**. Générale-ment, une phrase contient plus de graphèmes que de phonèmes. *Le chat mange* a onze graphèmes et sept phonèmes : [lə ʃamɑ̃ʒ].

### Le phonème et ses traits distinctifs

Pour Saussure, le phonème était l'unité minimale, donc insécable, de la chaîne parlée. Il était modifiable uniquement sur l'**axe paradigmatique** (axe vertical des substitutions). Par exemple, on peut substituer au phonème [n] de *niche*, les phonèmes [b], [ʀ] ou encore [f] et obtenir ainsi d'autres mots.

| | n | | niche |
|---|---|---|---|
| axe paradigmatique | b | [iʃ] | biche |
| | ʀ | | riche |
| ▼ | f | | fiche |

Le linguiste Roman Jakobson a montré que non seulement le phonème était encore sécable en différents traits distinctifs, mais aussi qu'il était bidimensionnel car il était également susceptible de modifications sur l'**axe syntagmatique** (axe horizontal des combinaisons) : certains phonèmes peuvent perdre un de leurs traits distinctifs à cause des combi-naisons de phonèmes. Par exemple, le phonème [d] dans *médecin* a tendance à devenir un [t] au contact phonique du [s] : [metsɛ̃].

• **Traits distinctifs** des consonnes du français
Pour comprendre et retenir les différents traits distinctifs, le meilleur
moyen est d'observer dans un miroir les mouvements de votre bouche,
quand elle articule chaque phonème.

1) Consonnes **nasales**/consonnes **orales** :
Une consonne est nasale quand elle comporte une résonance de la cavité
nasale qui communique alors avec l'arrière-bouche : [m].
   Inversement, une consonne est orale quand la cavité nasale ne communique pas avec l'arrière-bouche et donc, ne résonne pas : [p].

2) Consonnes **sonores**/consonnes **sourdes** :
Une consonne est sonore quand son émission s'accompagne de vibrations
du larynx : [d]. En l'absence de vibrations, elle est sourde : [t]. Pour bien
saisir et retenir la différence entre sonore et sourde, mettez la main à votre
gorge : les cordes vocales vibrent lorsque la consonne est sonore.

3) Consonnes **occlusives**/consonnes **constrictives** :
Une consonne est occlusive quand son émission comporte une occlusion
(= fermeture) du canal buccal, suivie d'une brusque ouverture : [b].
   Une consonne est constrictive quand, au lieu d'une fermeture, il se
produit une constriction (= resserrement) : [f].

4) Consonnes d'**avant**/consonnes d'**arrière** :
Une consonne est d'avant quand son lieu d'articulation (fermeture ou
resserrement) est l'avant de la cavité buccale : [p] (consonne **labiale**, car
ce sont les lèvres qui se ferment), [s] (consonne **dentale**, car le lieu du
resserrement est les dents).
   Une consonne est d'arrière quand son lieu d'articulation est l'arrière de
la cavité buccale : [k] (consonne **vélaire**, car le lieu de fermeture est le
voile du palais, c'est-à-dire l'arrière du palais).
   Un phonème comporte donc plusieurs traits distinctifs. Le [b] est une
consonne orale, sonore, occlusive et labiale. Mais ce phonème a tendance,
par relâchement, à perdre un de ses traits distinctifs (sa sonorité) et à devenir sourd, au contact du phonème sourd [s] dans un mot comme *absent* :

[apsɑ̃]. Les phonèmes [b] et [p] ont trois traits distinctifs en commun et ne diffèrent que par un seul trait distinctif. On dira que [b] et [p] forment une **paire corrélative**. En revanche, [k] et [v] n'ont qu'un trait distinctif commun : ces phonèmes ne forment donc pas une paire corrélative.

Connaître les traits distinctifs d'un phonème permet de mieux saisir l'évolution phonétique de certains mots du latin au français. Prenons comme exemple le verbe latin *simulare* qui a donné le verbe français *sembler*. À la chute du phonème [u], les phonèmes [m] et [l] se sont trouvés en contact. Or, [m] et [l] sont deux phonèmes d'articulation trop différente. Est ainsi apparu un phonème de transition, dit phonème **épenthétique**, ayant tous les traits distinctifs du [m], hormis sa nasalité, et étant oral comme le [l], à savoir le phonème [b]. En ancien français, existait le verbe *remembrer* signifiant *se souvenir*, hérité du latin *rememorare* et contenant un [b] épenthétique. Le mot n'a pas survécu mais demeure en anglais : *to remember*.

La présence d'un [d] dans les formes de futur du verbe *venir* s'explique de la même façon : [n] et [d] forment une paire corrélative puisqu'un seul trait distinctif les sépare (nasalité/oralité).

• **Traits distinctifs** des voyelles du français
1) Voyelles **nasales**/voyelles **orales :**
[ɛ̃] est une voyelle nasale, [ɛ] une voyelle orale.

2) Voyelles **ouvertes**/voyelles **fermées** :
Comparez [i], voyelle très fermée et [ɑ], voyelle très ouverte.

3) Voyelles **arrondies**/voyelles **non arrondies** :
Une voyelle arrondie est une voyelle qui se prononce avec les lèvres arrondies. Ex : [o].

4) Voyelles **palatales**/voyelles **vélaires** :
Une voyelle palatale est une voyelle dont l'articulation se fait dans la partie antérieure du palais (palais dur). Ex. : [i]. Une voyelle vélaire a son articulation dans la partie postérieure du palais (voile du palais). Ex. : [u].

Prononcez à voix haute ces deux phonèmes et vous saisirez leur différence.

Ainsi, [i] est une voyelle orale, fermée, non arrondie et palatale.

## 1.2 La phonétique, la phonologie et la morpho(pho)nologie

### Phonétique et phonologie

La **phonétique** est la science qui étudie la production et la perception des **sons** d'un point de vue purement physique. Au début du siècle, on s'est intéressé au son en tant qu'élément servant à distinguer un mot d'un autre. C'est ce son, ayant une <u>fonction</u>, qui est appelé phonème. L'étude des phonèmes est appelée **phonologie.** Par exemple, que je prononce le mot *rat* avec un *r* roulé ou non, le sens de *rat* ne changera pas. On peut presque dire qu'il existe autant de façons de prononcer le *r* que d'êtres humains. La liste des sons, en tant que relevant de la parole, est théoriquement infinie. En revanche, les phonèmes, relevant de la langue, sont en nombre fini. Ce sont eux qui forment un système et intéressent le linguiste.

### Morpho(pho)nologie

On appelle **morpho(pho)nologie** la science qui étudie les phonèmes ayant une fonction morphologique. Elle étudie en particulier :

• La structure phonématique des mots
En français, la structure la plus féconde est l'alternance d'un phonème consonantique et d'un phonème vocalique. Si l'on rencontre deux phonèmes consonantiques avant ou après un phonème vocalique, le français, contrairement à d'autres langues comme le tchèque (la place de la vieille ville à Prague s'appelle *Staromestska*), répugne à la succession de trois phonèmes consonantiques, exception faite du [ʀ] et du [l], consonnes liquides, proches des voyelles. C'est pourquoi, le phonème [ə] sera prononcé dans *lestement* mais ne le sera pas dans *brièvement*.

• La structure phonématique des énoncés

Il s'agit principalement de la liaison entre les mots. Les trois phonèmes les plus utilisés sont [z], [t] et [k]. La liaison peut être obligatoire (ex. : *les arbres*) ou facultative. Parmi les liaisons facultatives, les plus intéressantes sont celles qui ont un rendement phonologique, c'est-à-dire celles qui sont porteuses de sens.

Comparez un *savant Anglais* avec un *savant anglais* (cet exemple exploité par plusieurs linguistes a l'inconvénient de paraître peu naturel et parodique de l'anglais). Dans le premier énoncé, il est question d'un Anglais (nom) qui est savant (adjectif signifiant : qui sait beaucoup de choses). Dans le second cas, il s'agit d'un savant (nom désignant une profession) qui est anglais (adjectif). À l'écrit, la majuscule indique cette différence sémantique, à l'oral, c'est la liaison faite entre *savant* adjectif et *Anglais* substantif — quoique facultative — qui l'indique.

Comparez encore *Allez-vous écouter* avec *Allez vous écouter*. La différence sémantique entre ces deux énoncés est indiquée à l'écrit par le tiret qui montre que le pronom personnel *vous* va avec le verbe *aller* et à l'oral par la liaison, facultative dans le premier énoncé, mais obligatoire dans le second. La première phrase pourrait être énoncée par un professeur furieux de l'inattention de ses élèves. La seconde invite l'interlocuteur à écouter l'enregistrement de sa voix.

• Les phonèmes à fonction morphologique

Certains phonèmes ont une fonction morphologique. Par exemple, on constate que [k] est un phonème spécifique de la subordination. La plupart des subordonnants possèdent ce phonème : pronoms relatifs (*qui, lequel...*), mots interrogatifs (*comment...*) et conjonctions de subordination (*quand...*). Le [R] est spécifique du futur catégorique (*je chanterai*) ou hypothétique (*je chanterais*).

L'alternance des phonèmes a souvent un rendement dans le système phonique. L'alternance [ɔ] / [o], neutralisée par exemple dans le Midi de la France, permet de différencier l'adjectif possessif *notre* (ou *votre*) du pronom possessif *le nôtre* (ou *le vôtre*), le prénom masculin *Paul* du prénom féminin *Paule*.

# 2. LE SIGNE LINGUISTIQUE

## 2.1 Le signifiant, le signifié et le référent

**Définition**

Le signe linguistique est l'association d'une image phonique ou graphique appelée **signifiant** et d'un concept, d'un contenu sémantique appelé **signifié**. Ainsi, quand j'entends ou lis le mot *table* (signifiant), ce mot évoque dans ma tête le concept « table » (signifié), c'est-à-dire un objet avec certaines caractéristiques comme des pieds et un plateau. Mais ce signe linguistique renvoie à une réalité qui, suivant les personnes, les circonstances, peut varier. On nomme **référent** ce que désigne le signe linguistique. Le référent n'a pas nécessairement une existence concrète : il peut ainsi être imaginaire (ex. : *le centaure*).

La relation signifiant/signifié et référent est **arbitraire**. La différence entre les langues, les altérations phonétiques qu'ont connues les signifiants suffisent à le prouver. Même la motivation d'ordre phonique (cas de l'onomatopée) comporte une part de convention. Notre *cocorico* national, s'il se rapproche consonantiquement de l'allemand *kikeriki*, semble plus éloigné du *cock-a-doodle-doo* anglais. Le signe est donc arbitraire mais, une fois la convention fixée, le couple signifiant/signifié devient **nécessaire**. Cette réflexion sur l'arbitraire du signe était déjà le sujet du *Cratyle* de Platon, dialogue qui oppose Hermogène et Cratyle. Pour le premier, le lien entre signifiant et signifié est pure convention, contrairement au second pour qui il est motivé. Que le signifiant soit le miroir du signifié est le propre de la poésie. Il suffit de penser à des poètes comme Paul Valéry.

**Influence réciproque**

Signifiant, signifié et référent exercent une influence les uns sur les autres. Il est évident que la création d'un nouveau référent entraîne la création d'un nouveau signifiant. Par exemple, à partir du moment où l'on a envisagé d'aborder sur la lune, a été créé le verbe *alunir*.

Un nouveau signifiant peut être créé pour en remplacer un auquel est lié un signifié à connotation péjorative. En voici plusieurs exemples : autrefois, on utilisait le mot *concierge* pour désigner la personne chargée de garder un immeuble. Mais à ce signifiant, a été associée l'idée de curiosité et de commérage. On lui a donc substitué *gardien (ne)* pour modifier le signifié. On peut néanmoins se demander si le référent est toujours le même. Dans les immeubles actuels, souvent plus grands, dotés d'interphones ou de digicodes, les fonctions, le statut, le comportement d'un (e) gardien (ne) sont-ils les mêmes que ceux d'un (e) concierge d'autrefois ?

De même, derrière le *surveillant général* se cachait un signifié plus répressif que derrière le *conseiller d'éducation* actuel. Le signifiant a-t-il changé pour correspondre à une réalité différente, le conseiller d'éducation étant plus proche des élèves que ne l'était l'ancien surveillant général ?

On pourrait multiplier les exemples : le *balayeur* est devenu *technicien de surface*, statut plus valorisant et en même temps correspondant à l'utilisation de machines au détriment du vulgaire balai, les maladies *vénériennes* sont devenues des maladies *sexuellement transmissibles*. L'adjectif *vénériennes* (de Vénus, déesse de l'amour) était moins neutre, moins médical, plus euphémisant (le sexe, contenu dans l'adverbe *sexuellement*, était tabou) et associait à l'amour l'idée de maladie, partant de châtiment.

Quant au *sourd*, il est devenu *malentendant*, terme plus euphémisant, plus technique car admettant des degrés dans la surdité et dépourvu de toute connotation péjorative, contrairement à *sourd*.

## 2.2 Le signifiant et sa formation

Les signifiants français viennent, pour la plupart, du latin et, dans une moindre mesure, du grec mais également d'emprunts faits à différentes langues étrangères.

Les deux modes de formation de mots les plus utilisés sont la **dérivation** et la **composition**.

## La dérivation

Un mot dérivé est constitué d'un **radical** (appelé également racine ou base) et d'un **affixe**, c'est-à-dire d'un élément qui n'a pas d'autonomie dans la langue et qui s'ajoute au radical, soit en le précédant (préfixe), soit en lui succédant (suffixe). On parle alors de dérivation **préfixale** (ex. : *im/propre*), **suffixale** (ex. : *norm/al*) ou **parasynthétique** — préfixe + suffixe — (ex. : *in/croy/able*).

En marge de ces trois cas, existent deux cas particuliers : la dérivation **régressive**, lorsqu'est retranchée à un verbe sa désinence d'infinitif pour former un nom (ex. : *cri < crier*) et la dérivation **impropre**, lorsqu'un mot change de catégorie grammaticale sans aucune modification (ex. : infinitif *dîner* → substantif *le dîner*). Ce cas de figure est très répandu. C'est ainsi qu'une forme de participe présent peut devenir, par dérivation impropre, un adjectif verbal (ex. : *brûlant[e]*), un substantif (ex. : *un étudiant*), un adverbe (ex. : *maintenant,* lui-même composé de *main + tenant*) ou encore une préposition (ex. : *durant*).

## La composition

Un mot composé est formé de plusieurs mots ayant une existence autonome dans la langue mais correspondant à un seul signifié et référent (ex. : *pomme de terre*).

Certains critères permettent d'identifier un mot composé. En voici quelques-uns :

1) l'orthographe révèle parfois la cohésion du mot composé, par la présence d'une forme unique (ex. : *portefeuille*) ou de traits d'union (ex. : *arc-en-ciel*) ;

2) il est impossible de séparer les éléments du mot composé en y insérant un autre mot (ex. : *\*salle splendide à manger*) ;

3) l'absence d'article est parfois un critère. Un *chien de berger* ne renvoie qu'à un référent, puisqu'il désigne une classe de chiens : c'est un mot composé, alors que le *chien du berger* renvoie à deux référents, un chien et un berger. Il s'agit donc d'un groupe nominal.

Quand on confronte les deux procédés de formation, dérivation et composition, on s'aperçoit que le mode le plus poétique, le plus imagé est, de toute évidence, la composition qui repose souvent sur une métaphore. Il suffit de comparer un *gratte-ciel* et un *immeuble*.

# 3. LA SÉMANTIQUE LEXICALE : ÉTUDE DU SENS D'UN MOT

## 3.1 Les différents sèmes d'un mot

### Les sèmes dénotatifs

Nous avons vu qu'à un signifiant était lié un contenu sémantique, appelé signifié. Ce signifié, comme pour le phonème, est constitué de différents traits distinctifs qu'on appelle **sèmes**.

Voici, par exemple, quelques sèmes du signifié « hirondelle » : {animal, oiseau, migrateur, queue fourchue, ailes fines et longues}. Ces sèmes sont plus ou moins spécifiques. Il va de soi que le sème {animal} est plus général que le sème {queue fourchue}. On dira que le premier sème est un sème **générique**, en tant qu'il renseigne sur la catégorie générale à laquelle appartient l'« hirondelle », alors que le second est un sème **spécifique**, car plus caractéristique de l'« hirondelle ». La différenciation générique/spécifique n'a de sens que si l'on compare plusieurs signifiés. Dans l'ensemble (« hirondelle », « moineau », « merle », « pie », « rougegorge »), {animal} et {oiseau} seront des sèmes génériques, car communs à tous les éléments de l'ensemble. En revanche, dans l'ensemble (« hirondelle », « saumon », « grenouille », « vache », « serpent »), seul le sème {animal} sera générique.

On peut ainsi étudier différents signifiés ayant le même sème générique. Prenons par exemple, comme base de travail, le poème de Francis Ponge « L'abricot », extrait de *Pièces*, dans lequel il décrit ce fruit et cite par comparaison une orange, une amande verte, une pêche, une prune et une poire :

## L'ABRICOT

La couleur abricot, qui d'abord nous contacte, après s'être massée en abondance heureuse et bouclée dans la forme du fruit, s'y trouve par miracle en tout point de la pulpe aussi fort que la saveur soutenue.

Si ce n'est donc jamais qu'une chose petite, ronde, sous la portée presque sans pédoncule, durant au tympanon pendant plusieurs mesures dans la gamme des orangés,

Toutefois, il s'agit d'une note insistante, majeure.

Mais cette lune, dans son halo, ne s'entend qu'à mots couverts, à feu doux, et comme sous l'effet d'une pédale de feutre.

Ses rayons les plus vifs sont dardés vers son centre. Son rinforzando lui est intérieur.

Nulle autre division n'y est d'ailleurs préparée, qu'en deux : c'est un cul d'ange à la renverse, ou d'enfant-Jésus sur la nappe,

Et le bran vénitien qui s'amasse en son centre, s'y montre sous le doigt dans la fente ébauché.

On voit déjà par là ce qui, l'éloignant de l'orange, le rapprocherait de l'amande verte, par exemple.

Mais le feutre dont je parlais ne dissimule ici aucun bâti de bois blanc, aucune déception, aucun leurre : aucun échafaudage pour le studio.

Non. Sous un tégument des plus fins : moins qu'une peau de pêche : une buée, un rien de matité duveteuse — et qui n'a nul besoin d'être ôté, car ce n'est que le simple retournement par pudeur de la dernière tunique —, nous mordons ici en pleine réalité, accueillante et fraîche.

Pour les dimensions, une sorte de prune en somme, mais d'une tout autre farine, et qui, loin de se fondre en liquide bientôt, tournerait plutôt à la confiture.

Oui, il en est comme de deux cuillerées de confiture accolées.

Et voici donc la palourde des vergers, par quoi nous est confiée aussitôt, au lieu de l'humeur de la mer, celle de la terre ferme et de l'espace des oiseaux, dans une région d'ailleurs favorisée par le soleil.

Son climat, moins marmoréen, moins glacial que celui de la poire, rappellerait plutôt celui de la tuile ronde, méditerranéenne ou chinoise.

Voici, n'en doutons pas, un fruit pour la main droite, fait pour être porté à la bouche aussitôt.

On n'en ferait qu'une bouchée, n'était ce noyau fort dur et relativement importun qu'il y a, si bien qu'on en fait plutôt deux, et au maximum quatre.

C'est alors, en effet, qu'il vient à nos lèvres, ce noyau, d'un merveilleux blond auburn très foncé.

Comme un soleil vu sous l'éclipse à travers un verre fumé, il jette feux et flammes.

Oui, souvent adorné encore d'oripeaux de pulpe, un vrai soleil more-de-Venise, d'un caractère fort renfermé, sombre et jaloux,

Pour ce qu'il porte avec colère — contre les risques d'avorter — et fronçant un sourcil dur voudrait enfouir au sol la responsabilité entière de l'arbre, qui fleurit rose au printemps.

Francis Ponge, « L'abricot » in Pièces, Paris, © Gallimard, 1961.

Sous la forme d'un tableau, nous allons comparer les différents sèmes qu'il évoque. Ce type d'analyse se nomme **analyse componentielle** (du latin *componere* : composer, comparer).

| Signifiés / Sèmes | abricot | orange | amande verte | pêche | prune | poire |
|---|---|---|---|---|---|---|
| fruit | + | + | + | + | + | + |
| forme petite | + | − | + | − | + | − |
| forme ronde | + | + | − | + | ∞ | − |
| forme avec fente | + | − | − | − | − | − |
| coul. orange | + | + | − | − | − | − |
| noyau | + | − | + | + | + | − |
| coul. foncée du noyau | + | ∞ | − | − | − | ∞ |
| amande non comestible | + | ∞ | − | + | + | ∞ |
| peau duveteuse | + | − | + | + | − | − |
| peau qu'on n'ôte pas | + | − | ∞ | − | + | − |

Le symbole ∞ est utilisé quand aucune réponse positive ou négative ne peut être donnée. Ainsi, la forme de la prune est aussi bien ronde (ex. : *mirabelle*) qu'oblongue (ex. : *quetsche*). L'orange et la poire n'ayant pas de noyau, les sèmes {couleur foncée du noyau} et {amande non comestible} ne sont pas pertinents. De même, étant donné qu'on mange de l'amande verte non le fruit mais uniquement l'amande, le sème {peau qu'on n'ôte pas} devient inopérant.

Certains sèmes évoqués par Francis Ponge n'ont pu entrer dans ce tableau : {fruit juteux, d'une région ensoleillée, noyau sécable}. Il était difficile de répondre positivement ou négativement à ces trois critères. En effet, les fruits cités par Ponge sont plus ou moins juteux, nécessitent plus ou moins de soleil et leur noyau est plus ou moins sécable. Déjà, le sème du tableau {forme petite} pose des difficultés : la pêche ne se situe-t-elle pas — du point de vue de sa dimension — entre l'abricot et l'orange ? On voit donc les problèmes et, partant, les limites d'une pareille classification.

Naturellement, le poème de Francis Ponge, s'il révèle une juste et scientifique observation des choses, a une charge poétique — ne serait-ce que par ses surprenantes métaphores — qui ne peut se réduire à une grille sémantique. Mais la confrontation du tableau et du poème permet de montrer que les deux sèmes spécifiques de l'abricot {forme avec fente} et {couleur foncée du noyau} ont une place privilégiée dans la description poétique du fruit. Ponge s'attarde sur ces « deux cuillerées de confiture accolées » qui rendent l'abricot semblable à « un cul d'ange à la renverse ou d'enfant-Jésus sur la nappe ». Et toute la fin du poème est consacrée à la particularité du noyau « d'un merveilleux blond auburn très foncé », « d'un caractère fort renfermé, sombre et jaloux » et « fronçant un sourcil dur ».

Les sèmes génériques et spécifiques sont des sèmes **dénotatifs** : ils appartiennent à la définition objective, relativement stable et socialement généralisée du signifié.

### Les sèmes connotatifs

Mais il existe également des sèmes **connotatifs**, plus complexes à définir car plus instables, plus subjectifs, qui, comme l'indique le préfixe *con-*

(du latin *cum* = avec), s'ajoutent aux sèmes dénotatifs et révèlent principalement ce que suggère le mot, ce à quoi on l'associe. Par exemple, « blanc » évoque, connote la neige, « wassingue », ayant les mêmes sèmes dénotatifs que « serpillière », diffère de lui par ce qu'il connote : un régionalisme (Nord).

Les sèmes connotatifs sont plus ou moins individuels, subjectifs. Certaines connotations sont devenues si courantes qu'elles sont attestées par les dictionnaires. C'est le cas des comparaisons du type *blanc comme neige, rouge comme une pivoine, têtu comme une mule*, etc. où l'adjectif a pour sème connotatif le comparant. C'est — entre autres raisons — parce qu'au signifié « concierge », étaient associés les sèmes connotatifs {commérage} et {curiosité} qu'on a préféré le signifiant *gardien*, moins connoté. Il existe également des sèmes connotatifs contextuels qui, à force d'être utilisés, tendent à devenir dénotatifs. Ainsi, dans une phrase telle que *Des voleurs ont visité mon appartement*, « visiter » prend pour sème connotatif {cambrioler} à cause du substantif *voleurs*.

Dans ces deux cas, la connotation est pour ainsi dire lexicalisée et n'est en rien subjective. Plus intéressants sont les sèmes connotatifs qui témoignent de la subjectivité du sujet parlant, qu'il s'agisse de son imaginaire, son vécu, sa culture, sa psychologie, son appartenance à un milieu… Par exemple, « la mouette » pourra connoter la pièce de Tchekhov (culture), la ville de Marseille (vécu) ou encore des jeunes filles frileuses (imaginaire). L'emploi du mot *lovic* au lieu de *veau* révélera de la part du locuteur une connaissance de l'argot des bouchers, le loucherbem. Il faut néanmoins être prudent quant à l'interprétation des connotations : un vocabulaire à connotation familière n'est pas forcément révélateur d'un milieu social ou intellectuel inférieur. Cela peut être un choix délibéré (ex. : *Voyage au bout de la nuit* de Louis-Ferdinand Céline ou *Au bonheur des ogres* de Daniel Pennac) ou peut révéler à quel interlocuteur on s'adresse. Une même personne utilisera divers registres de langue suivant les circonstances. De même, un sème connotatif peut être considéré comme émanant de l'imagination d'une personne, alors qu'il s'agit d'une référence culturelle dont le locuteur n'a plus conscience.

Nous avons demandé à un professeur de lettres modernes ce qu'évoquaient pour lui « le corbeau » et « le merle ». Voici ses réponses que nous commenterons :

| le corbeau | le merle |
|---|---|
| noir | le merle moqueur |
| cri : croassement | une maison de campagne |
| mort | noir sympathique |
| tristesse | sifflement |
| désolation | oiseau familier |
| charognard | peut réveiller |
| nevermore (*Le Corbeau* de Poe) | un nid dans mon jardin |
| *La Ballade des pendus* de Villon | mange des vers |
| *Les Corbeaux* de Rimbaud | |
| les cadavres | |
| les champs de bataille | |
| un oiseau méconnu | |
| un oiseau de mauvais augure | |
| la superstition | |
| la sorcellerie | |
| l'hiver | |
| la plaine | |
| les bords de route | |
| la solitude | |
| *Le Corbeau*, film de Clouzot | |
| la bêtise (*Le Corbeau et le Renard*) | |
| le brillant de la plume | |
| une atmosphère sombre | |
| l'œil perçant | |

Ces réponses nous invitent à formuler plusieurs remarques. Tout d'abord, le corbeau semble un animal plus évocateur que le merle et ce, pour la personne interrogée comme pour la majorité des personnes. En témoignent le nombre considérable de références culturelles et l'article que lui consacre le *Dictionnaire des symboles*, alors que le merle en est absent. De plus, au « corbeau » sont surtout associés des sèmes à connotation négative et au « merle » des sèmes à connotation positive. Enfin, la frontière entre sèmes dénotatifs et sèmes connotatifs d'une part et entre les différents sèmes connotatifs (culturels, liés au vécu, etc.) d'autre part, est loin d'être étanche.

Plusieurs sèmes dénotatifs peuvent être dégagés : le sème générique {oiseau}, les sèmes spécifiques {noir, cri : croassement, charognard, habitué des plaines, plumage brillant, œil perçant} pour le corbeau et {noir, sifflement, mange des vers, habitué des jardins} pour le merle. Les sèmes connotatifs dérivent généralement de ces sèmes dénotatifs. Il est évident que la couleur noire associée au cri et au mode de nutrition du corbeau qui, de surcroît, fréquente les mornes plaines, charge cet animal de négativité. En revanche, la couleur noire du merle associée au <u>sifflement</u> commun à l'être humain (même s'il est susceptible de nous réveiller dès l'aube) et à la <u>naissance</u> (avec les nids que les merlettes ont coutume de faire dans nos jardins) ne peut qu'éveiller la sympathie.

Certains de ces sèmes spécifiques sont à la fois dénotatifs et connotatifs, comme {noir}, adjectif qui ne désigne pas seulement une couleur, {cri} qui peut marquer la souffrance, voire la peur, {œil perçant} qui signifie aussi bien « voyant de loin » que « perspicace ». La personne interrogée a d'ailleurs mentionné qu'elle entendait « perçant » dans les deux acceptions du terme, tout en ne sachant pas — ou plus — que, dans la *Genèse*, le corbeau est symbole de perspicacité, puisque c'est lui qui va vérifier si la terre commence, après le déluge, à reparaître au-dessus des eaux. Il a un rôle prophétique.

En fait, plus qu'une simple addition de plusieurs sèmes, un signifié est un tissu de sèmes qui s'entremêlent : {la mort} que connote le corbeau vient-elle de la couleur noire de l'animal, de son cri lugubre, de son mode de nutrition, des lieux désolés qu'il hante, de Poe, Villon ou Rimbaud ou encore de la ressemblance phonique entre *corbillat* (petit du corbeau) et *corbillard* ? La force connotative est telle qu'elle occulte et contredit certains sèmes dénotatifs : on oublie que le corbeau, contrairement à beaucoup d'autres animaux, est solidaire de ses semblables, n'en laisserait pas mourir un en détresse et vit en bande. Trop connoté, trop utilisé, il en devient « un animal méconnu », comme l'a signalé la personne interrogée.

De plus, la connotation est variable suivant les époques et les pays : que le corbeau soit perçu négativement est purement occidental (au Japon, par exemple, il est symbole d'amour familial) et relativement récent.

## 3.2 Les différents sens d'un mot

### Synchronie et diachronie

L'étude sémantique d'un mot peut être envisagée sous deux angles : en synchronie et en diachronie.

En **synchronie** (du grec *sugkhronos* : dans le même temps), le mot sera étudié à un moment déterminé de l'évolution de la langue.

En **diachronie** (du grec *dia* : à travers et *chronos* : le temps), sera étudiée l'évolution du mot à travers le temps, son histoire depuis ses origines.

Prenons par exemple le substantif *poison*. Si l'on ne considère qu'une époque particulière (étude synchronique), à savoir la nôtre, le *poison* se définit comme une substance toxique, pouvant être mortelle. Il connaît de surcroît des emplois métaphoriques et figurés, s'utilise ainsi pour qualifier ce qui est nuisible et pernicieux et — dans un registre de langue familier — une personne insupportable ou une chose ennuyeuse.

L'étude diachronique de *poison* révélera qu'il vient du latin *potionem* signifiant boisson, breuvage médicinal ou magique, lequel peut être nocif. Progressivement, le sème essentiel {boisson} va devenir facultatif et, inversement, le sème facultatif {nocif} primera et ce, dès le XVIᵉ siècle. Parallèlement, le mot se dotera d'emplois figurés liés à ce changement sémantique.

Organisme vivant, la langue ne cesse d'évoluer : des glissements sémantiques s'opèrent constamment selon divers cas de figure. Un mot peut tomber en désuétude pour avoir progressivement été remplacé par un autre mot, plus imagé, plus simple morphologiquement. Tel est le cas des verbes *ouïr* et *choir* d'un emploi rare de nos jours, même si leur famille demeure vivace (*ouïe, inouï, chute, chance, échoir, déchéance, déchet...*) qui ont été respectivement supplantés par *entendre* et *tomber*. Quand Mère-Grand dit dans *Le Petit Chaperon rouge* de Charles Perrault : *Tire la chevillette, la bobinette cherra*, le jeune lecteur d'aujourd'hui ne comprend plus que *cherra* est le futur du verbe *choir*.

Un mot peut, à force d'être utilisé, connaître une usure sémantique. Dans *La Chanson de Roland* (œuvre de la fin du XIe siècle), *Oliver sent qu'il est a mort nasfret* (Olivier sent qu'il est blessé à mort) : *navrer* (de l'ancien norois *\*nafra* : percer) a alors le sens fort de « blesser physiquement ». Le sens de ce verbe va progressivement s'affaiblir : au XVIe siècle, il signifie « affliger profondément » et à l'heure actuelle, il est souvent utilisé comme simple formule de politesse (cf. *Je suis navré* = je suis désolé).

Une extension ou, inversement, une restriction sémantique peuvent affecter le mot. *Viande* est un exemple de restriction sémantique ; il vient du latin *vivenda* (gérondif au neutre pluriel de *vivere* : vivre) qui signifiait ce qui permet de vivre. En ancien français, la viande est ce qui sert à vivre, l'ensemble des aliments, en somme, les vivres. Progressivement, *viande* va se restreindre à son sens actuel.

Enfin, les glissements sémantiques que subit un mot sont souvent dus à diverses figures de style. Ainsi, le *bureau* a d'abord signifié « tapis de table », sens attesté au XIIIe siècle. Par métonymie (rapport de contiguïté), il va désigner la table proprement dite. Le premier sens va alors être délaissé. Ensuite, par trois synecdoques successives (rapport d'inclusion), *bureau* désignera la pièce où se trouve la table, puis le lieu de travail et, enfin, les personnes travaillant dans un bureau : des employés, un groupe de délégués, les membres d'une assemblée... Ce mot a élargi ainsi son champ sémantique.

L'évolution d'un mot est parfois perceptible à notre échelle. Une boutique bien *achalandée* a de nombreux chalands (= clients). Mais la plupart des personnes comprennent *achalandée* comme synonyme de *approvisionnée*. Le *Petit Robert* 1993 signale ce glissement en précisant : par confusion (de l'effet avec la cause). Il est fort probable que, dans quelques années, le premier sens de ce mot sera jugé vieilli et le sens « erroné » sera considéré comme le sens moderne dérivé du premier par métonymie.

Un mot évolue également par antiphrase. Ainsi, le verbe pronominal familier *se marrer* (du francique *\*marrjan* : fâcher) signifiait originellement s'affliger, puis s'ennuyer (cf. *J'en ai marre*) et, par antiphrase, il a pris le sens actuel de s'amuser, rire.

Mais la figure de style qui est le plus à l'origine des glissements sémantiques est probablement la métaphore. Un exemple typique est celui du mot *tête*. En latin classique, *testa* était un vase en terre. À basse époque, il a pris le sens de crâne, puis de tête, par plaisanterie. L'habitude des Barbares de boire dans des crânes serait à l'origine de ce glissement sémantique. C'est ainsi que progressivement *tête* a supplanté *chef* dont l'un des sens était encore en ancien français « tête », parce que d'une part, *tête* était plus imagé, donc plus évocateur, d'autre part peut-être *chef* était-il trop polysémique.

On voit donc que l'évolution diachronique d'un mot s'opère principalement selon trois cas de figure correspondant mathématiquement à trois notions topologiques :

– la contiguïté : dans le cas des glissements sémantiques par métonymie ;

– l'inclusion : dans le cas de la synecdoque, des restrictions ou extensions sémantiques ;

– l'intersection : dans le cas des glissements sémantiques par métaphore ou par perte ou ajout d'un sème. On peut ainsi schématiser l'évolution de *poison* :

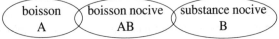

boisson — boisson nocive — substance nocive
A — AB — B

On parle alors de structure en ressemblance de famille.

**Une polysémie, une synonymie et une homonymie souvent de surface**
L'étude diachronique d'un mot permet de mieux comprendre sa polysémie
qui n'est que de surface, tous les sens s'expliquant les uns par rapport aux
autres et découlant généralement du sens premier. Reprenons l'exemple du
mot *tête*. Dans le *Petit Robert*, trois colonnes lui sont consacrées. Mais
tous les sens de ce mot dérivent du sens premier : extrémité antérieure ou
supérieure d'un être animé. Par métaphore, cette définition peut s'appliquer à un objet. Par synecdoque ou métonymie, *tête* peut désigner le siège
des pensées et des états psychologiques, la vie ou encore la personne elle-
même. Si *chef* est, dans certains contextes, synonyme de *tête* (ex. : être *à la
tête* = *le chef* d'une armée), ils diffèrent sémantiquement. *Chef*, contrairement à *tête*, a connu une restriction sémantique, puisqu'il désigne —
excepté des emplois vieillis ou stylistiques — une personne hiérarchiquement supérieure à d'autres. *Tête* peut s'appliquer à de l'inanimé, à une
supériorité d'ordre physique, concret, et désigne généralement l'élément
antérieur ou supérieur d'une unité qui l'inclut ; en revanche, *chef* renvoie
exclusivement à de l'animé, à une supériorité d'ordre non physique et
désigne un élément hiérarchiquement supérieur d'un ensemble.

Même des mots qui semblent totalement synonymes fonctionnent
différemment : la loi d'économie qui régit généralement la langue va à
l'encontre d'une parfaite synonymie. J.-J. Franckel, dans son ouvrage intitulé *Étude de quelques marqueurs aspectuels du français,* l'a bien montré
en confrontant *commencer à* et *se mettre à*. Une phrase telle que *Je
commence à en avoir marre* ne peut être remplacée par *\*Je me mets à en
avoir marre*. La raison en est la suivante : si je dis *Je commence à en
avoir marre*, cela signifie que j'en avais déjà marre avant mais que maintenant, je n'en puis plus, que j'en ai *vraiment* marre. *Commencer à P*
signifie donc passer de *pas vraiment P à vraiment P*, contrairement à *se
mettre à P* qui marque seulement le passage de *non P à P*. D'où le
fréquent effet de soudaineté créé par *se mettre à*, alors que *commencer à*
montre plutôt une intensification. À travers cet exemple dont nous simpli-
fions l'explication, on voit que la synonymie n'est que contextuelle et
superficielle.

Quant à l'homonymie, elle existe seulement lorsque les mots ne viennent pas du même étymon. Prenons l'exemple de *comte, compte* et *conte*. Le premier vient du latin *comitem*, les deux autres du même mot latin *computum*. *Compter*, activité mathématique et *conter*, activité littéraire, semblent pourtant bien lointains. Un lien sémantique les unit cependant. Conter, raconter, c'est organiser un discours, énumérer (< *numerus*) des événements, après avoir rassemblé ses idées : démarche logique, mathématique. D'ailleurs, ce lien étroit était perceptible jusqu'au XVᵉ siècle, puisque n'existait pas de discrimination graphique entre les deux mots. Il l'est encore dans certaines langues comme l'allemand où compter se dit *zählen* et (ra) conter *erzählen*.

De même, quel rapport existe-t-il entre le substantif *monde* et l'adjectif *immonde* ? En latin, *mundus*, en tant que nom, signifie *univers* ou *parure* et en tant qu'adjectif, *propre*. Les Latins retiennent l'explication grecque de la création de l'univers : quelqu'un serait venu mettre de l'ordre, de la propreté et de la beauté dans le chaos originel. Le *mundus* latin équivaut au *cosmos* grec (cf. *cosmétique*). Ainsi est fait le lien entre *monde* et *immonde, immondices, émonder* ou *monder*.

# DU MOT À LA PHRASE

## 1. Construction de la phrase

Dans le chapitre précédent, nous avons envisagé le mot en tant qu'unité à part entière, abstraction faite de la phrase. Or, si un mot est une succession de phonèmes, une phrase est une chaîne de mots qui obéit à des règles bien précises. Pour que la phrase soit grammaticalement correcte, il faut qu'elle respecte des règles morphosyntaxiques. Mais une phrase peut être grammaticalement correcte et sémantiquement incohérente : elle doit donc obéir également à des règles lexicales.

### 1.1 Règles morphologiques

On entend couramment par **morphologie** l'étude (*-logie*) des formes (*morpho-*) sous lesquelles se présentent les signifiants dans une langue, leurs différents modes de formation ainsi que leurs variations.

**Variations de forme**
Voici quelques-unes des variations possibles :

• Variations syntagmatiques (on a vu que l'axe syntagmatique est celui de la succession des unités linguistiques dans la chaîne parlée) pour des raisons euphoniques (éviter les hiatus) : c'est le cas des élisions (ex. : *\*si il → s'il*), d'ajouts de lettres entre tirets ou même en finale du verbe à l'impératif (ex. : *parle-lui* mais *parles-en, vient-il ?* ou *joue-t-il ?*). À noter que l'emploi d'un *l'* euphonique devant le pronom *on* s'explique aussi diachroniquement puisque *on* vient de la forme atone du *homo* latin

(= homme) : *l'* est donc le vestige de l'article défini élidé. C'est encore un souci d'euphonie qui explique le maintien d'une double forme masculine d'adjectifs qualificatifs comme *beau/bel, vieux/vieil, mou/mol.*

• Variations de nombre, de genre ou de personne : phénomènes d'accord. Toutes les marques de singulier ou de pluriel, de masculin ou de féminin, de personnes (pronoms personnels, possessifs, formes verbales) relèvent de la morphologie. Ainsi, dans *nous sommes venues*, nous avons une marque de féminin (*e*), trois marques de pluriel (dans les trois mots) et deux marques de personne (dans le pronom personnel et l'auxiliaire être). L'accord entraîne donc une redondance morphologique. En latin, le pronom personnel sujet n'était utilisé qu'à des fins expressives (renforcement). Il est devenu nécessaire en français, par suite de l'amuïssement de la désinence finale dans de nombreux cas. On est passé d'une langue synthétique à une langue analytique. Par exemple, *chanter* au présent de l'indicatif a les mêmes désinences phoniques aux 1$^{re}$, 2$^{e}$, 3$^{e}$ et 6$^{e}$ personnes : [ʃɑ̃t].

• Variations du radical du verbe suivant le temps, le mode et la personne : ces variations morphologiques sont le vestige des altérations phonétiques qu'ont connues les verbes. Au présent de l'indicatif, l'accent frappait le radical aux 1$^{re}$, 2$^{e}$, 3$^{e}$ et 6$^{e}$ personnes et la désinence aux autres personnes. De ce fait, le radical a connu des modifications liées principalement à la diphtongaison de la voyelle accentuée. Parfois, il y a eu réfection analogique, mais pour beaucoup de verbes, l'alternance s'est maintenue. C'est le cas de verbes comme *mourir* (*je m*eurs*/nous m*ourons), *venir* (*tu v*iens*/vous v*enez), *savoir* (*il s*ait*/ils s*avent) variant également au subjonctif (radical *sach-*).

L' exemple le plus flagrant est celui du verbe *aller* qui cumule des variations suivant le temps et la personne. Au présent de l'indicatif, le radical est *v (a)* aux 1$^{re}$, 2$^{e}$, 3$^{e}$ et 6$^{e}$ personnes et *all-* aux autres personnes. Au passé simple et à l'imparfait, le radical est *all-*. Aux temps simples du futur — catégorique et hypothétique —, on a *i-*. Ces trois radicaux viendraient de trois étymons différents : *v (a)* de *vadere*, *all-* de *ambulare* ou de *aditare*, fréquentatif de *andare* et *i-* de *ire*.

## Morphosyntaxe

Il existe d'autres variations morphologiques (forme **tonique** (= accentuée)/**atone** (= inaccentuée) : *me/moi,* variations liées à la fonction : *que/qui, il/le/lui*).

Ce qu'il faut retenir, c'est que la morphologie et la syntaxe sont très étroitement liées, d'où le terme **morphosyntaxe**. Si la forme change, c'est souvent parce que la syntaxe joue un rôle important : la réduction de *des* à *de* dans une phrase comme *je n'ai pas de disques* n'est pas simplement formelle. Elle est dépendante du contexte négatif. De même, comme la syntaxe étudie les relations existant entre les différents mots, tous les phénomènes d'accord participent de la syntaxe. Ce lien étroit entre les deux disciplines est tel que certains linguistes considèrent cette distinction comme arbitraire.

## 1.2 Règles syntaxiques

### Objet de la syntaxe

La **syntaxe** (du grec *syn* : avec et *taxis* : ordre, arrangement) est l'équivalent étymologique de *construction* (du latin *cum* : avec et *structio* : ordre, organisation). La syntaxe s'intéresse donc aux règles qui président à l'ordre des mots, aux relations qu'ils entretiennent entre eux, à leur fonctionnement. La syntaxe contribue naturellement à l'élaboration du sens de la phrase.

L'ordre des mots varie d'une langue à l'autre. Comparons par exemple la première phrase de *La Métamorphose* de Franz Kafka et sa traduction française :

*Als Gregor Samsa eines Morgens aus unruhigen Traümen*
Lorsque Gregor Samsa un matin au sortir de agités rêves

*erwachtete, fand er sich in seinem Bett zu einem ungeheueren*
s'éveilla, trouva il se dans son lit en un monstrueux

*Unbeziefer verwandelt.*
insecte métamorphosé.

Parmi les différences les plus marquantes, on relève la place du verbe : dans la phrase allemande, le verbe *erwachtete* est en position finale de la proposition subordonnée et le verbe *fand* est en position initiale de la proposition principale que précède la subordonnée. En français, les deux verbes succéderaient immédiatement aux sujets.

Par ailleurs, la place de l'adjectif qualificatif épithète diffère : en allemand comme en anglais, il précède toujours le substantif, contrairement au français où sa place varie suivant les cas et donc est porteuse de sens. L'antéposition de l'adjectif épithète peut être due à différents facteurs dont les deux principaux sont :

– l'adjectif antéposé développe un sème contenu dans le substantif. Dans le groupe nominal *la verte vallée*, *verte* est antéposé car le mot *vallée* contient le sème {vert}. C'est là toute la différence entre, d'un côté, *Blanche-Neige* ou le *Petit Poucet* et de l'autre, *Barbe-Bleue*. Il en va de même dans des expressions comme *le bouillant Achille* où *bouillant* fonctionne comme épithète de nature : il est dans la nature d'Achille d'être bouillant (la colère du héros homérique est l'épisode central de l'*Iliade*) ;

– l'adjectif antéposé n'a plus son sens propre : il prend un sens figuré ou perd son rôle qualificatif pour acquérir un fonctionnement adverbial : quantitatif, intensif... Dans *les vertes années*, *vertes* a le sens figuré de *jeunes* et dans *le Vert-Galant* (surnom de Henri IV), *vert* est antéposé d'une part à cause de son sens figuré de *gaillard*, d'autre part parce qu'il développe un sème contenu dans *galant*. Pour ce qui est de la valeur adverbiale, on la retrouve dans des exemples comme *un bon kilo* (l'adjectif a à la fois valeur figurée et quantitative), *une belle menteuse* (*belle* : valeur figurée et augmentative), *une incroyable nouvelle* où *incroyable*, comme beaucoup d'adjectifs ayant comme préfixe *in-* et comme suffixe -*able*, se charge d'une valeur intensive.

À travers ces différents exemples, se dessine le lien profond qui unit syntaxe et sémantique.

La phrase est lieu de construction, d'organisation hiérarchique. Les mots tissent entre eux des liens de dépendance. Certains mots sont essentiels à la phrase, la constituent comme noyau, d'autres n'en sont que des expansions. Les trois cas de figure les plus récurrents de la phrase minimale française sont :

– sujet + verbe intransitif ;

– sujet + verbe + complément d'objet ;

– sujet + verbe + attribut du sujet.

Mais les faits sont souvent plus complexes. Comparons ces phrases :

1) *Je vais au bord de la mer.*

   *Je me promène au bord de la mer.*

2) *Je mange un gâteau.*

   *Je savoure un gâteau.*

Dans les deux premières phrases, on a affaire à des verbes de mouvement suivis de ce que la grammaire traditionnelle analyserait comme des compléments circonstanciels de lieu, donc des expansions de la phrase qui peuvent être ôtées.

Dans les deux autres phrases, on est en présence de deux verbes d'action proches de sens et de deux COD, donc de deux éléments essentiels à la phrase.

Pourtant, *aller* et *se promener*, quoique tous deux intransitifs, fonctionnent différemment : *\*Je vais* est disconvenant car *aller* a besoin — excepté dans certains cas (ex. : *ça va*) — d'être complété par un mot indiquant le lieu de destination, la manière, etc., alors que *Je me promène* est une phrase correcte. De même, si *\*Je savoure* nécessite un COD, *Je mange* est correct, parce que *manger* peut se construire intransitivement.

Il faut donc se méfier, dans toute analyse syntaxique, du catalogage. Si la langue est bien un système, ce système est complexe parce qu'il évolue et que la notion de frontière en est exclue.

Prenons le cas de la phrase suivante : *Si tu viens, dis-le-moi.* Deux interprétations syntaxiques sont possibles : soit *Si tu viens*, repris par le pronom personnel *le* équivaut à une interrogative indirecte COD de *dire*

*(= Dis-moi si tu viens)*, soit la reprise de *Si tu viens* par le pronom personnel COD permet de donner à la proposition une valeur de circonstancielle hypothétique *(= Au cas où tu viendrais, dis-le-moi)*. Les deux interprétations, loin de s'exclure, coexistent et révèlent le lien entre hypothèse et interrogation, lien que souligne l'emploi d'un même subordonnant : *si*.

Dans la syntaxe, la ponctuation à l'écrit, les pauses ou les liaisons à l'oral peuvent être déterminantes, comme on l'a vu en comparant *un savant Anglais* et *un savant anglais*.

De même, une simple virgule — une pause à l'oral — suffit à modifier la syntaxe et donc le sens de cette phrase : *Les enfants (,) qui mangent beaucoup de bonbons, ont des caries*. Avec une virgule, la proposition subordonnée relative apposée à *enfants* a valeur explicative : les enfants ont des caries parce qu'ils mangent beaucoup de bonbons. Il s'agit de *tous* les enfants. Sans virgule, la relative a valeur restrictive, déterminative : parmi les enfants, *seuls* ceux qui mangent beaucoup de bonbons ont des caries. La virgule modifie ainsi le statut de la relative et partant, de l'article qui, dans le premier cas, aura valeur de généralité et, dans le second cas, aura valeur **cataphorique** (cataphore = fait d'annoncer), valeur de prédéterminant en ce qu'il annonce la relative déterminative.

On voit donc combien syntaxe et sémantique sont liées et comme est subtil le système de la langue. Plusieurs approches syntaxiques se sont succédé, opposées et complétées. Nous allons sommairement en exposer quelques-unes.

**Quelques approches syntaxiques**

• La grammaire de dépendance (cf. Lucien Tesnière)
Selon Tesnière, s'établissent entre les mots constituants de la phrase des rapports de dépendance dont il s'efforce de rendre compte par des schémas qu'il nomme **stemmas**. Entre les mots existent des **connexions**, une hiérarchie. Par exemple, dans la phrase *Mon enfant marche*, le nœud supérieur sera *marche* qui régit *enfant*, lequel régit *mon*.

Le stemma de cette phrase sera :

```
        marche
          |
        enfant
          |
         mon
```

Existe une autre connexion, l'**anaphore** (= fait de reprendre, de rappeler), qu'il note d'un trait pointillé.

Tesnière classe les mots en deux catégories : les mots pleins et les mots vides. Les premiers sont les substantifs (notés O), les adjectifs (A), les verbes (I) et les adverbes (E). Parmi les mots vides, il distingue les **jonctifs** (coordonnants) des **translatifs** (subordonnants, prépositions, verbes auxiliaires, articles, suffixes et désinences) dont la fonction est de transformer la catégorie des mots pleins. Il existe différents types de translations : celles du premier degré qui transforment par exemple un adverbe en substantif (*bien-* > *le bien*) et celles du second degré, c'est-à-dire de la subordination. Les translations du premier degré peuvent être simples, doubles, voire quadruples. Ainsi, *à la française* dans le groupe nominal *des petits pois à la française*, est l'objet d'une translation quadruple :

*franç-* (O : substantif : France) > *française* (A : adjectif) > *la française* (O : adjectif substantivé par l'article) > *à la française* (E : adverbe, *à la française* fonctionnant comme circonstant de manière) > *à la française* (A : adjectif à cause de l'ellipse de « cuisinés » : *petits pois à la française* équivalant alors à *petits pois* [typiquement] *français*).

```
A : à la française  /
  /   ø  | E : à la française  /
           à  | O : la française  /
                la  | A : française  /
                      -aise  | O : franç-
```

Les translations du second degré sont notées par un double trait. Dans la phrase : *L'homme qui marche dans la rue cherche son chemin,* la relative fonctionne comme un adjectif. Dans *qui*, on distingue *qu-* à fonction translative et *-i* à fonction anaphorique, renvoyant — comme *son* — à *homme*.

Voilà le stemma de cette phrase :

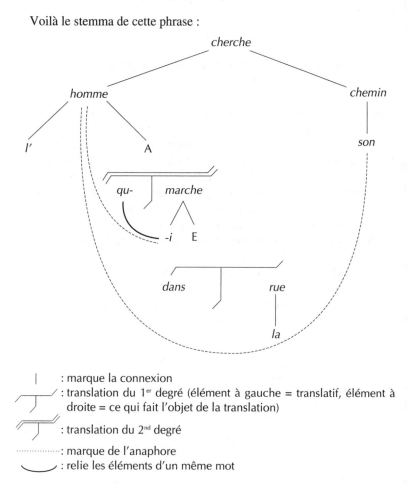

| : marque la connexion

⟍╤╱ : translation du 1ᵉʳ degré (élément à gauche = translatif, élément à droite = ce qui fait l'objet de la translation)

⟍╤╱ : translation du 2ⁿᵈ degré

·········· : marque de l'anaphore

‿ : relie les éléments d'un même mot

Une phrase est ainsi constituée le plus souvent d'un nœud verbal (qui exprime le procès), d'**actants** (êtres ou choses qui participent de quelque manière au procès) et de circonstants (qui expriment les circonstances dans lesquelles se déroule le procès). Le nombre d'actants que le verbe est susceptible de régir constitue la **valence** du verbe. Par exemple, le verbe *donner* est trivalent (verbe à trois actants correspondant dans la grammaire traditionnelle au sujet, au COD et au CO Second).

Le modèle présenté par Tesnière est intéressant par cette notion d'actant et par la distinction qu'il établit entre la syntaxe multidimensionnelle et la linéarité phrastique. Mais il a le tort de séparer syntaxe et sémantique — qu'il confond d'ailleurs avec lexicologie —, de considérer les outils grammaticaux comme des mots vides de sens et d'ignorer la dimension énonciative du langage.

• La linguistique distributionnelle (cf. Bloomfield et Harris)
Elle consiste en l'analyse descriptive induisant d'un corpus de phrases les éléments et les règles qui s'y appliquent par la détermination de **distributions**. La distribution d'un élément est l'ensemble de ses environnements (éléments qui le précèdent et qui le suivent). Par exemple, dans *nous chantons*, *nous* et *-ons* sont les deux environnements de *chant-*. Les éléments de distribution identique ou voisine forment des classes distributionnelles à partir desquelles se définissent les règles d'une langue. Des éléments de fonctionnement très proche comme *bien que* et *encore que* sont comparés pour déterminer la spécificité de chacune de ces locutions conjonctives.

Comme dans la grammaire de dépendance, la phrase est présentée de façon structurelle et analysée en constituants immédiats. **L'analyse en constituants immédiats** (notée ACI) segmente la phrase en deux éléments ou **syntagmes** qui sont les constituants immédiats. Ces syntagmes sont à leur tour fragmentables et ainsi de suite jusqu'aux signifiants minimaux, appelés **morphèmes**. Alors que les stemmas de Tesnière présentent les éléments de la phrase selon une hiérarchie catégorielle, l'ACI décompose une phrase en ses constituants, des plus larges aux plus petits. Voici un exemple d'ACI : *Les enfants qui mangent des bonbons ont des caries.*

– Phrase (notée P) → Syntagme Nominal (**SN**) + Syntagme Verbal (**SV**)
P : *Les enfants qui mangent des bonbons + ont des caries*

**– SN** → Déterminant (Dét.) + Groupe Nominal (GN)
SN : *Les + enfants qui mangent des bonbons*

– GN → Substantif (Sub.) + Syntagme Adjectival (SA)
GN : *enfants + qui mangent des bonbons*

– SA → K- (indice de la subordination) + P
SA : *K- + qui mangent des bonbons*

– P → SN + SV
P : *qui + mangent des bonbons*

– SV → Verbe + SN
SV : *mangent + des bonbons*

– SN → Dét. + Sub.
SN : *des + bonbons*

**– SV** → V + SN
SV : *ont + des caries*

– SN → Dét. + Sub.
SN : *des + caries*

En schéma :

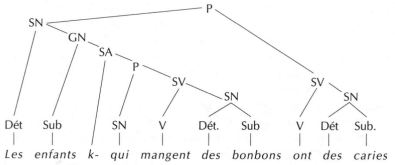

Voici le schéma de la même phrase comportant une relative non plus déterminative mais appositive :

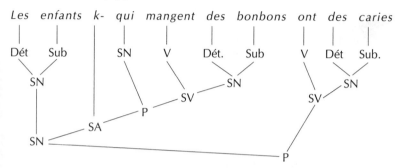

L'analyse en constituants immédiats complète le stemma de Tesnière mais comporte elle aussi des faiblesses. L'approche distributionnelle est asémantique et ne tient pas compte de certaines ambiguïtés, de paraphrases et du contexte. Ainsi, le complément du nom précédé de la préposition *de* est parfois ambigu : il peut être l'agent du procès (on parle alors de **génitif subjectif**) ou le patient du procès (**génitif objectif**) : *la crainte des dieux* est aussi bien *la crainte ressentie par les dieux* (*les dieux craignent*) que *la crainte suscitée par les dieux* (*on craint les dieux*). Génitif subjectif et génitif objectif ont le même traitement dans l'ACI. De même, que certains verbes ne puissent avoir qu'un sujet inanimé est totalement négligé par l'ACI. Pareilles insuffisances ont conduit Chomsky, alors étudiant de Harris, à formuler des règles plus complexes et à recourir à la notion de transformation, à la base de la grammaire générative et transformationnelle.

• La grammaire générative et transformationnelle (cf. Noam Chomsky)
Elle propose, pour toute phrase, une suite de règles de réécriture aboutissant à une **structure profonde**, et une suite de **transformations** conduisant à une **structure de surface**, lieu de l'interprétation morphophonologique. Les règles de réécriture sont des opérations qui permettent de développer un symbole catégoriel en une suite de symboles.

Les transformations sont des opérations qui transforment la dernière séquence des règles de réécriture en une phrase correctement formée, au moyen de déplacements, d'effacements, d'accords.

Pour bien comprendre la différence entre les règles de réécriture et les transformations, prenons la phrase : *Le chat mange les souris.* On aboutit à la structure profonde par les règles de réécriture suivantes :

P → SN + SV (*Le chat + mange les souris*)

SN → Nbre + GN (Sing. + *Le chat*)

GN → Dét. + Sub. (*Le + chat*)

SV → Tps-Pers. + GV (Prés.- 3$^e$ pers. + *manger les souris*)

GV → V + SN (*manger + les souris*)

SN → Nbre + GN (Plur. + *la souris*)

GN → Dét. + Sub. (*la + souris*)

La structure profonde est donc :
Sing. + *Le* + *chat* + Prés.-3$^e$ pers. + *manger* + Plur. + *la* + *souris*

À cette structure profonde peuvent correspondre deux structures superficielles (phrases active et passive) obtenues par une suite de transformations.
Pour la voix active, il faut opérer :
• deux transformations d'accord :
    Sing. + *Le* + *chat* → *Le* -sing. + *chat* - sing.
    Plur. + *la* + *souris* → *la* -plur. + *souris*- plur.
• une transformation d'affixe :
    Prés.-3$^e$ pers. + *manger* → *manger* + Prés.-3$^e$ pers.
Pour la voix passive, il faut permuter les SN, insérer *être* + participe passé, accorder le sujet avec le verbe, opérer la transformation d'accord pour les SN et la double transformation d'affixe :
    Prés.-6$^e$ pers. + *être* → *être* + Prés.-6$^e$ pers. et p. passé + *manger* → *manger* + p. passé.

Une fois qu'ont eu lieu toutes les transformations, interviennent les règles morphophonologiques qui permettent d'aboutir aux phrases bien formées :
*Le + chat + mange + les + souris.*
et
*Les + souris + sont + mangées + par + le + chat.*

Parmi les transformations, certaines sont obligatoires. Ce sont celles qui aboutissent aux phrases nucléaires de type à la fois déclaratif, affirmatif et actif. D'autres sont facultatives et donnent les phrases complexes (interrogatives, négatives, passives…).

La théorie chomskyenne repose sur le postulat de l'universalité des structures profondes qui rejoint celui des universaux de langage émis par la grammaire de Port-Royal (au XVIIe siècle). Un nombre fini de règles est capable de <u>générer</u> l'ensemble des phrases grammaticales d'une langue. La grammaire générative est une grammaire de la **compétence**, c'est-à-dire de « la connaissance que le locuteur-auditeur a de sa langue », s'opposant à la **performance**, « utilisation réelle dans des situations concrètes » de la compétence (Chomsky, 1965).

La notion de structure profonde permet de résoudre certaines difficultés que maintenait l'ACI. Ainsi, à une phrase d'interprétation plurielle, et donc à une même structure superficielle, correspondront plusieurs structures profondes. Inversement, à deux structures superficielles (cas d'une phrase à la voix active et de la même phrase à la voix passive), correspondra une seule et même structure profonde.

La première version de la grammaire générative ne tenait pas compte de la sémantique. Pour pallier ce manque, Chomsky a apporté de nombreuses améliorations à sa théorie en insérant des règles lexicales qui prouvent qu'on ne peut dissocier la syntaxe de la sémantique.

## 1.3 Règles lexicales

### Cohérence sémique

On a vu qu'un signifié était constitué d'un faisceau de traits distinctifs, les sèmes. Or, pour qu'une phrase soit recevable, elle doit être interprétable et donc respecter une cohérence sémique. Ainsi, une phrase comme *Mon livre pleure* sera *a priori* considérée comme ininterprétable, parce que le sème générique {inanimé} contenu dans le substantif est en contradiction avec le verbe qui implique un sujet ayant pour sème générique {animé}.

C'est pourquoi Chomsky a remanié sa théorie en introduisant dans la composante de base qui produit la structure profonde une sous-composante lexicale qui met en jeu des règles de sous-catégorisation et d'insertion lexicale. Une phrase n'est plus seulement une suite de catégories grammaticales (ex. : Dét. + Sub. + V). Elle est une suite de signifiés compatibles entre eux. Chaque substantif sera sous-catégorisé par sèmes (ex. : *enfant* : {animé, humain, non abstrait...}). Les verbes et les adjectifs qualificatifs seront sous-catégorisés en fonction des actants avec lesquels ils sont compatibles. On peut d'ailleurs constater que la plupart des articles des dictionnaires modernes, tel le *Trésor de la langue française*, mêlent syntaxe et sémantique lorsqu'ils donnent les différentes acceptions d'un mot. Par exemple, à l'article *flamber*, est précisé qu'en emploi intransitif, ce verbe signifie *chatoyer*, lorsque le sujet est un objet et que le complément, introduit par la préposition *de*, est une lumière ou une couleur.

### Manquement aux règles lexicales

Mais l'insertion de règles lexicales, si elle rend plus pertinente la démarche générative, est excessivement difficile à gérer parce qu'un mot est généralement polysémique et est susceptible d'emplois figurés qui autorisent toutes sortes de phrases. Il en résulte qu'il n'existe pas des phrases recevables et d'autres irrecevables mais des phrases plus ou moins interprétables. Tout dépend de la compétence du locuteur, de ses capacités imaginatives. *Caresser un projet* paraîtra à certains locuteurs ne connaissant pas cet emploi figuré de *caresser* comme inacceptable sémantiquement, du fait que *caresser* implique un complément ayant pour sème {concret}.

De même, le deuxième vers de « Zone », poème extrait d'*Alcools* de Guillaume Apollinaire,

> Bergère ô tour Eiffel le troupeau des ponts bêle ce matin

ne peut être saisi que si l'on voit la métaphore qui sous-tend cette phrase où les mots à sème {urbain}, *tour Eiffel* et *ponts* sont associés à des mots à sème {rural}, *Bergère, troupeau* et *bêle*, les deux sèmes étant contradictoires. Les surréalistes et leurs précurseurs, tel Rimbaud, rompent souvent la cohérence sémique textuelle, appelée également **isotopie**. Le premier vers de « Aube », extrait des *Illuminations*, en témoigne. Dans

> J'ai embrassé l'aube d'été.

*aube* contient les sèmes {inanimé, non concret, illimité}, en contradiction avec les sèmes qu'implique *embrasser*. Une des sources de l'hermétisme de certains textes vient précisément de cette hétérogénéité sémantique.

## 2. LE MOT DANS LA PHRASE

### 2.1 Du virtuel à l'actualisé

**De la langue à la parole**

Ainsi, sans qu'on en ait réellement conscience, énoncer une phrase revient à assembler des mots selon des règles strictes, même si les entorses à ces règles sont fréquentes (incorrections, barbarismes…). Le dictionnaire offre un trésor de potentialités, de mots **virtuels** qu'on **actualise** dès lors qu'ils sont employés dans une phrase. L'énoncé *moi vouloir pomme*, certes compréhensible sémantiquement, sera tenu comme fortement agrammatical. Les trois mots existent en langue mais, pour être utilisés en discours, ils doivent subir certaines modifications, à savoir l'insertion d'un article et l'emploi d'un verbe conjugué précédé d'un pronom personnel atone (*Je veux une pomme*). L'article est donc un **actualisateur** du substantif, l'indicatif, en tant qu'il actualise le procès, est un mode actualisateur du verbe.

Dans la phrase *Je veux une pomme*, l'article est grammaticalement nécessaire. Mais il est des phrases où l'article est omis, sans que leur grammaticalité soit affectée. L'article zéro, de même que le subjonctif, qui n'inscrit pas le procès dans une temporalité effective, sont des **virtualisateurs**.

### Actualisateurs et virtualisateurs

L'emploi de l'article zéro est fréquent pour des raisons multiples : emploi adjectif du substantif, nom propre, etc. mais toutes dérivent de la même raison : ne pas actualiser le nom, parce qu'il renvoie à un autre substantif déjà actualisé (ex. : *Mon voisin est médecin*), parce qu'il est de lui-même actualisé (nom propre), ou encore parce qu'il fait référence à une notion virtuelle. C'est ainsi que, dans les mots composés ou dans les locutions figées, l'article zéro est fréquent : *donner carte blanche à quelqu'un* n'implique aucunement l'existence de la carte, contrairement à *donner une carte blanche à quelqu'un*. De même, *le chien de berger*, mot composé, renvoie à un référent unique (un type de chien), alors que *le chien du berger*, groupe nominal, renvoie à deux référents : un chien et un berger actualisé par l'article défini contracté *du*.

Le substantif et le verbe, les deux catégories grammaticales essentielles en tant qu'elles réfèrent respectivement à l'espace et au temps, sont les seules catégories à être susceptibles d'actualisation ou de virtualisation, par le jeu des articles et des modes. Étudions ces six phrases :

1) *Je cherche une maison qui <u>a</u> un toit vert.*

2) *Je cherche une maison qui <u>ait</u> un toit vert.*

3) *Bien qu'il <u>pleuve</u>, Pierre sort.*

4) *Paul est content que Pierre <u>soit venu</u>.*

5) *Paul espère que Pierre <u>viendra</u>.*

6) *Paul redoute que Pierre <u>vienne</u>.*

Les deux premières phrases diffèrent par leur mode dans la proposition subordonnée relative. Cette différence modale a naturellement une incidence sémantique. Dans la première phrase, l'emploi de l'indicatif nous indique que cette maison existe pour le locuteur. Elle pourrait être prononcée par quelqu'un interrogeant un passant parce qu'il ne trouve pas la maison que lui ont décrite ses amis. En revanche, le subjonctif dans la deuxième phrase virtualise le substantif *maison*. Il se peut (virtualité) que la maison existe comme il se peut qu'elle n'existe pas. Cette phrase pourrait être prononcée dans une agence immobilière par un client potentiel qui souhaiterait acheter une maison possédant un toit vert. À noter qu'on ne pourrait substituer l'article défini *la* à l'article indéfini *une* dans cette deuxième phrase. L'article défini est plus actualisateur que l'article indéfini : qu'il rappelle (valeur **anaphorique**) ou qu'il annonce (valeur **cataphorique**), il présuppose l'existence de cette notion.

Dans la troisième phrase, il y a apparente contradiction entre l'emploi du subjonctif et le fait qu'il pleut. C'est la concession qui justifie le subjonctif. Pierre, en sortant, agit *comme s'*il ne pleuvait pas : la pluie est ainsi effacée, virtualisée par la magie d'un mode.

La quatrième phrase présente un cas plus complexe : le procès est effectif (il est réellement venu) puisqu'on a affaire à un passé et pourtant le mode employé est le subjonctif. La sémantèse du verbe recteur l'explique. Tout d'abord, la venue de Pierre n'est pas présentée de manière objective mais sous la pesée d'une appréciation : parenté entre le subjectif et le subjonctif. Ensuite sont mises au premier plan la joie de Paul et au second plan, la venue de Pierre, plan moins actualisé.

La confrontation des deux dernières phrases est éclairante. Dans les deux cas, le verbe recteur exprime un sentiment et le verbe subordonné une éventualité. Mais les deux verbes recteurs ont des sèmes contraires. Dans la cinquième phrase, la venue de Pierre est tellement espérée qu'elle est affirmée, actualisée par un futur, marqueur de la probabilité. En revanche, dans la sixième phrase, la venue de Pierre est d'une certaine manière niée par le subjonctif, mode du possible. Et ce n'est pas un hasard si le verbe *redouter* comme le verbe *craindre* sont souvent accompagnés d'un *ne* faussement appelé **explétif** (= qui n'apporte à la phrase aucun sens), alors qu'il révèle le désir que le procès *ne* se réalise *pas*.

À travers ces quelques exemples, on constate que la cohérence sémique n'est pas seulement d'ordre lexical mais aussi grammatical. La langue a le choix entre deux possibilités, entre deux cohérences : <u>la redondance</u>

comme dans la phrase *Je redoute qu'il ne vienne* où la sémantèse du verbe recteur, la présence du *ne* dit explétif et l'emploi du subjonctif sont trois manières de nier le procès ou l'économie de moyens, comme le révèle l'emploi d'un *si j'étais*. Mais la tendance semble être à la redondance comme en témoignent les très courants *si j'aurais*.

L'emploi de tel mode, de tel article, de tel temps s'explique suivant chaque phrase d'une manière différente mais tous les cas de figure ont un dénominateur commun, comme on l'a vu en étudiant les différents sens d'un mot ou en examinant divers emplois du subjonctif et c'est ce qu'ont montré le linguiste Gustave Guillaume et son disciple Gérard Moignet.

## 2.2 Du signifié de puissance aux effets de sens

### Définition

Les notions guillaumiennes de **signifié de puissance** et d' **effets de sens** appellent deux constatations : tout d'abord, *signifié* se rapproche de *sens*, alors que *puissance* et *effets* s'opposent. Le mot *puissance* renvoie au potentiel, au virtuel, tandis que *effet* renvoie à l'effectif, à l'actualisé. Ensuite, pourquoi un signifié de puissance et des effets de sens ? Selon la théorie guillaumienne, tel mot grammatical (ex. : *en, que...*) ou telle notion grammaticale (ex. : le présent, le subjonctif...) ont un signifié unique qui permet de rendre compte de ses multiples effets de sens. Par exemple, dans la phrase *La terre tourne autour du soleil*, le présent a comme effet de sens l'omnitemporalité, dans la phrase *Cet homme boit*, le présent marquera suivant le contexte une action relativement brève en train de s'accomplir ou une action répétitive, une habitude. Ou encore, le présent aura valeur de futur dans une phrase comme *Ce soir, je vais au cinéma* mais valeur de passé dans *Il sort de l'hôpital*.

Comment justifier ces différents effets de sens, parfois même contradictoires ? Par une définition capable d'englober tous les cas de figure. En puissance, le présent de l'indicatif est d'aspect **sécant**, c'est-à-dire qu'il est constitué d'une parcelle de futur et d'une parcelle de passé : quand je dis *J'écris un livre*, le procès a déjà commencé (passé) et n'est pas achevé (futur). Cette parcelle de passé et cette parcelle de futur sont appelées par les guillaumiens **chronotypes** (notés $\alpha$ pour le futur et $\omega$ pour le passé). Ce présent linguistique, comportant une parcelle de futur et une parcelle de passé, est à distinguer du présent effectif, point de rupture entre passé et avenir : si le présent linguistique occupe un espace temporel plus ou moins large, le présent effectif n'en occupe pas : il est le seuil qui résorbe l'avenir en passé. Dans une phrase comme *Ce soir, je vais au cinéma*, le procès effectif est du côté d'$\alpha$, l'intention d'aller au cinéma constituant $\omega$.

L'imparfait est l'équivalent du présent dans une époque passée. Lui aussi est d'aspect sécant, comme le révèle son aptitude à être utilisé avec *en train de*, locution qui signale la décomposition du procès en deux chronotypes, contrairement au passé simple d'aspect **global**. Mais l'imparfait n'est pas seulement apte à marquer le déroulement d'un procès dans une époque passée. Il est préférable de dire que son signifié de puissance est : aspect sécant + distance. L'imparfait peut marquer une distance par rapport au temps (*Hier, j'étais à l'opéra*), par rapport au réel (*Un pas de plus et la voiture m'écrasait* ou — autre exemple — l'imparfait qu'on utilise pour raconter un rêve) et par rapport à ses propos (*Je voulais vous demander pardon*).

### Cinèse et subduction

Aux différents effets de sens, s'ajoute la notion de **cinétisme** et de **subduction**. Comme son étymologie l'indique, on entend par **cinétisme** ou **cinèse** le mouvement qui va du sens plein du mot à son sens le plus **subduit** (c'est-à-dire le moins plein). Prenons par exemple le verbe *avoir* et comparons les cinq phrases suivantes :

    1) *J'<u>ai</u> une maison.*

    2) *J'<u>ai</u> de l'estime pour lui.*

    3) *J'<u>ai</u> froid.*

    4) *J'<u>ai</u> travaillé.*

    5) *Je travailler<u>ai</u>.*

Dans ces cinq phrases, est utilisé le verbe *avoir*. Mais de la première phrase à la dernière, s'est opéré un mouvement de subduction, en l'occurrence de dématérialisation. Le verbe *avoir* a le sens concret de *posséder* dans la première phrase. Dans la deuxième, il peut toujours commuter avec le verbe *posséder* mais son sens est abstrait à cause de son complément. Dans la troisième phrase, on a affaire à une locution verbale lexicalisée où *avoir* n'est plus commutable avec *posséder* et où *avoir* et *froid* ne sont pas dissociables. Dans la quatrième phrase, *avoir* a le statut d'auxiliaire, d'outil grammatical servant à former le passé composé. Enfin, dans le dernier exemple, *avoir* a un sens encore plus subduit puisqu'il fait partie de la désinence du futur (historiquement, le futur s'est formé à partir de l'infinitif du verbe et de l'auxiliaire *avoir* : *J'ai à travailler* → *Je travaillerai*). Du sens plein au sens subduit, il y a comme un mouvement (*-duction*) de descente (*sub-*), de perte d'autonomie et de prédicativité si l'on entend par **prédicativité** l'aptitude d'un mot à faire phrase à lui seul. Lorsque le mot est utilisé dans un sens subduit, il est dépendant : il peut être auxiliaire (ex. : *être* ou *avoir*), semi-auxiliaire (ex. : *venir* quand il marque le passé récent ou encore *devoir* quand il marque la probabilité), atone et conjoint (ex. : *me* contrairement à *moi*), simple subordonnant vide de sens (ex. : la conjonction de subordination *que*), etc.

Ce mouvement de perte sémantique s'accompagne souvent d'une perte ou d'une altération graphique et phonique liée diachroniquement à la non-accentuation du mot. Ainsi, si la négation *ne* peut être saisie à différents stades plus ou moins subduits (de *Je ne sais* — où elle nie pleinement — à *Je crains qu'il ne pleuve* où *ne* peut être omis), la négation *non* offre une saisie pleine : si *ne* est conjoint au verbe, *non* a un statut prédicatif puisqu'il peut être utilisé seul. Tel est le cas de mots comme *me/moi*, *que/quoi* ou encore *comme/comment* qui entretiennent entre eux un rapport de subduction.

Prenons le cas du couple *que/quoi*. En réalisation plénière du mot, *quoi* est un pronom indéfini renvoyant à de l'inanimé virtuel (ex. : *Quoi que je fasse, j'ai toujours tort*). À un stade moins plénier, *quoi* est pronom relatif avec un antécédent inanimé mais fonctionne en même temps comme subordonnant (ex. : *C'est ce à quoi je pense*). *Quoi,* dans son état le plus subduit, entre en concurrence avec *que* : il est dans ce cas interrogatif (ex. : *Je ne sais quoi* — ou *que* — *faire*). On peut ensuite distinguer plusieurs états de *que,* dans la continuité de *quoi* : le *que* interrogatif renvoie encore à de l'inanimé, alors que le *que* relatif renvoie autant à de l'animé qu'à de l'inanimé. Etats encore plus subduits, le *que* employé pour introduire le comparant (ex. : *Il est plus grand que toi*) ou l'exception (ex. : *Je n'aime que toi*) et la conjonction *que,* simple outil d'enchâssement à sémantèse quasi nulle. Ultime étape de la cinèse menant de *quoi* à *que,* du sens le plus plein au sens le plus subduit, le *que* béquille du subjonctif dans une phrase du type *Qu'il vienne.*

Quand la subduction a lieu à l'intérieur d'un même signifiant, les guillaumiens parlent de subduction **interne** (ou **ésotérique**, du grec *ésô* signifiant *au-dedans*), alors que le mouvement de subduction de *que* par rapport à *quoi* est dit **externe** (ou **exotérique**, du grec *exô* signifiant *au-dehors*). Pour les guillaumiens, *que* et *quoi* ne représentent en fait qu'un seul signifiant et n'ont qu'un signifié de puissance qui connaît en revanche de multiples effets de sens suivant les saisies opérées.

Morphologie, syntaxe et phonologie d'une part, diachronie et synchronie d'autre part, se rejoignent dans cette approche guillaumienne. Diachroniquement, des mots comme *me* et *moi* ou *ne* et *non* ont la même origine. Une différence phonétique (formes toniques ou atones) s'est convertie en différence morphosyntaxique. Ainsi, à une forme sémantiquement pleine correspond une forme graphiquement et phonétiquement pleine, et à une forme sémantiquement subduite, une forme phonétiquement ténue avec pour seule voyelle un *e* muet. La subduction peut aussi s'accompagner d'une altération phonique liée également à la non-accentuation du mot. Tel est le cas par exemple de l'adjectif qualificatif *sage* dans *sage-femme* qui non seulement n'a plus son sens plein mais également subit une altération phonique, puisque le mot se prononce [sa ʃ fam] et non [sa ʒ fam] comme le transcrit à tort le *Petit Robert*.

La syntaxe guillaumienne est une syntaxe du mot avant d'être une syntaxe de la phrase et de l'énoncé. Elle cherche à regrouper les différents effets de sens d'un mot pour en déceler le principe unique qui les régit. Trouver un sens, c'est trouver un mouvement, une cinèse, c'est en somme rejoindre les deux principaux sens du mot *sens,* trouver ce qui rassemble.

# DE LA PHRASE À L'ÉNONCÉ

## 1. SENS ET SIGNIFICATION

### 1.1 Sens d'une phrase

**Sens et vérité**

Pour le moment, nous n'avons évoqué que la phrase, c'est-à-dire cette combinaison de mots régie par des règles lexicales et morphosyntaxiques. Nous avons sommairement dit que, pour que la phrase eût un sens, il fallait qu'elle fût compréhensible.

Mais cette définition ne semble pas satisfaisante et divers linguistes ont cherché un lien entre le sens de la phrase et sa vérité. Connaître le sens d'une phrase reviendrait à connaître ses conditions de vérité, définition rejoignant l'approche scolastique selon laquelle *veritas est adequatio rei et intellectus* (la vérité est l'adéquation de la chose et du sens), définition donnée par saint Thomas au XIII$^e$ siècle.

Ainsi, pour reprendre un exemple récurrent dans les ouvrages de linguistique, emprunté au logicien Russell, la phrase *Le roi de France est chauve* est, certes, grammaticale puisque les règles morphosyntaxiques sont respectées, lexicale puisqu'il y a cohérence sémique entre le substantif et l'adjectif qualificatif qui possèdent tous deux le sème générique {humain}, mais peut être discutable quant à ses conditions de vérité. Il n'existe pas en effet de roi de France à l'heure actuelle.

**Vérité relative**

On pourrait alors dire qu'une phrase a un sens quand elle est lexicalement et grammaticalement recevable et qu'elle a un correspondant référentiel.

Mais les choses ne sont pas si simples. Comme nous l'avons vu pour l'analyse sémique ou pour l'interprétation sémantique d'une phrase, trancher de façon nette est source de difficultés et d'erreurs. Dans le réel comme dans les mots, la relativité existe. La pêche est un gros fruit, comparée à l'abricot mais elle est petite, comparée à l'orange. À partir de quel moment dira-t-on d'une personne qu'elle est chauve ? Entre perdre ses cheveux et être totalement dégarni, il existe différents degrés. Cette relativité est d'ailleurs mentionnée par les dictionnaires, puisque l'article *chauve* du *Petit Robert* donne cette définition : « qui n'a plus ou presque plus de cheveux ». De plus, la vérité est modalisable, comme le montre une phrase telle que *Pierre est peut-être là.*

Ce continuum, ce « plus ou moins », a été reconnu et exploité de diverses manières : le cinétisme guillaumien, le domaine notionnel dont parle J.-J. Franckel et que j'ai évoqué à travers l'exemple de *commencer à* qui marque le passage de *pas vraiment P* à *vraiment P* en sont des exemples.

Cette vérité relative peut être montrée à travers un exemple que j'emprunte au linguiste G. Lakoff. Voici six phrases définitoires :

1) *Le moineau est un oiseau.*

2) *L'autruche est un oiseau.*

3) *Le pingouin est un oiseau.*

4) *La chauve-souris est un oiseau.*

5) *La gazelle est un oiseau.*

6) *L'éléphant est un oiseau.*

D'un point de vue strictement scientifique, « l'oiseau » a pour sèmes spécifiques {plumage} et {bec}. On parle certes de bec pour quelques autres animaux, telle la tortue, mais cette appellation est analogique, la bouche de la tortue rappelant la forme d'un bec. L'oiseau généralement vole, mais ce n'est pas le propre des oiseaux. Les insectes, voire certains mammifères comme la chauve-souris, volent également et, de plus, certains oiseaux tels précisément l'autruche ou le pingouin ne volent pas.

Examinons maintenant les six phrases. Si la première et la dernière sont unanimement considérées comme respectivement vraie et fausse, les autres soulèvent des difficultés. La plupart des gens associent à « oiseau » les sèmes {vole} et {petit} (cf. l'expression *avoir un appétit d'oiseau*). De ce fait, ils auront tendance à dire que la quatrième phrase est vraie et que les deuxième et troisième phrases sont fausses, alors que, scientifiquement, c'est l'inverse. Quant à la cinquième phrase, elle se prêtera à une lecture métaphorique : les amples sauts de la gazelle dus à ses pattes longues et fines peuvent évoquer un envol dans les airs.

Cet exemple montre que la vérité d'une phrase dépend non seulement de la compétence de l'individu (une personne ayant un tant soit peu de connaissances zoologiques affirmera à raison que seules les trois premières propositions sont vraies) mais aussi de son approche de la phrase. Selon qu'on a une lecture scientifique ou métaphorique de la cinquième phrase, elle sera considérée comme vraie ou fausse.

Si le moineau et l'autruche appartiennent tous deux à la catégorie des oiseaux, ils ne la représentent pas de la même manière. Le moineau, tout au moins dans les pays où il est répandu, est considéré comme un **prototype** de la catégorie des oiseaux, à cause des sèmes qu'il contient : {vole}, {plumage}, {bec}, {ailes}, {non domestique}, {petitesse}, {piaillement} qui correspondent au **stéréotype** de l'oiseau, à cause de sa banalité (oiseau répandu et de couleur commune) et peut-être à cause de sa ressemblance phonique et graphique avec *oiseau* : oi- [wa] et -eau [o] en commun et même nombre de syllabes.

La plupart des catégories comportent des éléments plus ou moins typiques : il existe ainsi des degrés de typicité. Chacun connaît le test suivant : citer un outil et une couleur, les réponses attendues étant le marteau et la couleur rouge. Les éléments prototypiques peuvent varier d'un pays à l'autre mais ne sont pas individuels. Qu'un élément devienne prototype s'explique : par exemple, le marteau est un outil très utilisé, même si l'on n'est pas un bricoleur émérite, et symbolique si l'on songe à la faucille et au marteau, outils symbolisant les classes paysanne et ouvrière, servant d'emblème aux Républiques soviétiques et au parti communiste et associés à la couleur rouge. Il est évoqué dans des chansons (ex. : *si j'avais un marteau…*) et employé au sens figuré (ex. : *être marteau*).

De la même façon, la pomme est probablement le fruit le plus prototypique des pays occidentaux pour des raisons peut-être étymologiques (en latin, *pomum* signifie *fruit*), culturelles (la pomme est le fruit biblique par excellence, d'où les expressions comme *croquer la pomme*) et réelles (fruit commun de toutes saisons).

Même si prototype et stéréotype peuvent se rejoindre, leur définition est différente. Par **prototype**, on entend l'élément le plus typique d'une catégorie alors que par **stéréotype**, on entend l'élément ayant les propriétés les plus typiques de la catégorie. Si je dis *Cette femme est une femme*, cette définition *a priori* tautologique n'est pas absurde car les deux occurrences de *femme* ne revêtent pas la même signification. *Femme*, en fonction sujet, renvoie à une personne appartenant à la catégorie des femmes, alors qu'en fonction d'attribut du sujet, fonction qu'a souvent l'adjectif qualificatif, ce substantif renvoie aux stéréotypes de la femme, c'est-à-dire aux propriétés attribuées couramment à la femme. En somme, le premier *femme* équivaut à être de sexe féminin, tandis que le second *femme* signifie *être doué de féminité*.

Cette différence entre prototype et stéréotype est à rapprocher de celle qui existe entre **extension** et **intension** (ou **compréhension**). Au sens mathématique et linguistique du terme, définir par extension un ensemble signifie donner l'ensemble des éléments appartenant à cet ensemble. Ainsi, l'extension du mot *outil* sera l'ensemble des outils, dont le *marteau* sera l'élément le plus typique, le prototype. En revanche, définir par intension *outil* consistera à donner ses propriétés. Plus la définition extensionnelle est grande et facile, plus la définition intensionnelle est restreinte et imprécise. Pour expliquer à un enfant ce qu'est un fruit, on lui citera des exemples de fruits, alors que pour lui faire comprendre ce qu'est un abricot, on lui donnera plutôt les caractéristiques de ce fruit.

Les éléments appartenant à une même catégorie sont plus ou moins prototypiques. Il va de soi que, la plupart du temps, l'enfant acquiert en premier les éléments prototypiques d'une catégorie. De même, si l'on distingue trois niveaux (le niveau **surordonné** : outil, le niveau **de base** : marteau, le niveau **subordonné** : les différents types de marteaux), il acquerra en priorité le niveau de base et n'apprendra que plus tard à inclure correctement le niveau de base dans le niveau surordonné : aptitude à l'organisation, à l'ordonnance qui lui manque mais aussi parfois définition fonctionnelle plus que descriptive des notions.

Par exemple, pour un enfant des villes qui voit sans cesse son père acheter des fleurs à sa mère, un coquelicot ne sera pas une fleur. Pour lui, *fleur* équivaudra à *fleur coupée qu'on achète chez un fleuriste*.

Le niveau de base tient lieu à l'enfant de tous les niveaux. Ainsi, toutes les femmes, qu'elles soient mères ou non, sont maman pour le jeune enfant.

À noter que si le rapport entre les différentes catégories est généralement de l'ordre de l'inclusion, il peut être également de l'ordre de la contiguïté ou de l'intersection (ressemblance). C'est ce qu'a montré Lévi-Strauss dans son ouvrage *La Pensée sauvage* : pour les Toreya de l'Inde du Sud, serpent et termitière appartiennent à la même catégorie (rapport de contiguïté), ainsi que fourmi rouge et cobra, à cause de leur couleur commune (rapport d'intersection).

La vérité d'une phrase dépend donc des individus. Si pour tous *a priori* deux et deux font quatre, des phrases telles que *Pierre est gentil* ou *Pierre est malade* seront vraies pour telle personne et fausses pour telle autre. C'est ce que des linguistes comme Robert Martin appellent la relativité par rapport à un **univers de croyance**, l'univers de croyance étant l'ensemble des propositions que le locuteur au moment où il parle tient pour vraies ou possibles. Cet ensemble est fluctuant. Si je dis : *Pierre est malade*, cette assertion peut être vraie pour moi mais fausse pour mon interlocuteur sachant pertinemment que cette maladie n'est qu'un prétexte. Auquel cas, si j'ai été convaincue par mon interlocuteur, cette phrase aura été vraie à un moment donné pour moi mais ne le sera plus l'instant d'après. On voit donc que la vérité d'une phrase est très souvent dépendante des circonstances. Aussi dira-t-on que la phrase est le lieu des conditions de vérité et que seul l'énoncé est le lieu de l'interprétation, du vrai ou du faux.

## 1.2 Signification d'un énoncé

### Sens et signification

Quelle différence faut-il établir entre la phrase et l'énoncé ? La phrase est une pure construction linguistique et théorique, prise isolément, pouvant se répéter à l'infini mais ne correspondant à aucune réalité. La phrase appartient au domaine du virtuel.

Une phrase, dès qu'elle est prononcée dans un certain **contexte** (circonstances, moment, lieu, interlocuteurs…) et dans un certain **co-texte** (on entendra par ce terme l'entourage linguistique de la phrase), devient un énoncé unique. L'énoncé est du domaine de l'effectif. Une même phrase peut être répétée six fois mais ces six occurrences de phrases donneront six énoncés différents.

Entre la phrase et l'énoncé de cette phrase, il existe des différences sémantiques, voire des contradictions dans le cas, par exemple, d'une phrase énoncée ironiquement. On parlera du **sens d'une phrase** et de la **signification d'un énoncé** (signalons que certains linguistes comme Oswald Ducrot parlent inversement de la signification d'une phrase et du sens d'un énoncé). Le sens d'une phrase est indépendant de la situation dans laquelle elle est prononcée. Il est donc prévisible en langue. Prenons par exemple le poème d'Arthur Rimbaud intitulé *Roman*. Le premier comme l'avant-dernier vers de ce poème est :

On n'est pas sérieux, quand on a dix-sept ans.

Le sens de cette phrase et la signification de l'énoncé de cette même phrase sont radicalement opposés. Le co-texte (tout le poème est teinté d'ironie) et le contexte — si on se hasarde à une lecture autobiographique

— invitent le lecteur à lire l'énoncé de la sorte : *On se prend au sérieux, quand on a dix-sept ans*, avec un *on* dont s'exclut le jeune Rimbaud.

Une même phrase a toujours le même sens, alors que les divers énoncés d'une même phrase auront une signification différente. Pensez aux répliques répétitives des personnages de Molière qui créent le fameux comique de répétition. Certes, c'est la même phrase qui est répétée, son sens est invariablement le même mais à chaque énoncé de la phrase, la signification diffère pour deux raisons. D'une part, c'est la répétition de la même phrase qui suscite le rire : le premier énoncé sera moins comique que le deuxième et ainsi de suite. D'autre part, le co-texte de la phrase est différent à chaque énoncé et en modifie donc la signification. Par exemple, à la scène 4 de l'acte I du *Tartuffe* de Molière, Orgon répète à quatre reprises : *Et Tartuffe ?* et *Le pauvre homme !* La première réplique d'Orgon :

Et Tartuffe ?

fait suite à la réplique suivante de Dorine :

Madame eut avant-hier la fièvre jusqu'au soir,
Avec un mal de tête étrange à concevoir.

La réplique d'Orgon fait sourire, révèle qu'il n'a cure de son épouse et ne pense qu'à Tartuffe.

Avant la deuxième réplique d'Orgon, Dorine a décrit Tartuffe ainsi :

Tartuffe ? Il se porte à merveille.
Gros et gras, le teint frais, et la bouche vermeille.

C'est pourquoi l'énoncé suivant : *Et Tartuffe ?* ne fait plus sourire mais rire et révèle l'aveuglement et le caractère obsessionnel d'Orgon.

Ces exemples montrent la différence entre sens et signification. Lorsqu'un étudiant aborde un texte littéraire où une phrase est répétée à plusieurs reprises, il ne doit pas l'expliquer une seule fois mais l'examiner à travers ses différentes réalisations.

### Paraphrases sémantiques et paraphrases pragmatiques

La phrase *Il pleut* peut sémantiquement se paraphraser par la définition du dictionnaire du verbe *pleuvoir*, à savoir *De la pluie tombe*, par un synonyme du verbe ou par sa traduction dans une langue étrangère (*It's raining* ou *Es regnet*). En revanche, cette phrase devenue énoncé est paraphrasable en une infinité d'autres énoncés explicites ou non.

On appellera **paraphrase sémantique** la paraphrase de la phrase ayant le même sens qu'elle. Il existe différents types de paraphrases sémantiques. Tout d'abord, celles qui sont des équivalences syntaxiques : on dira ainsi que *Le chat a mangé la souris* a pour paraphrase sémantique *La souris a été mangée par le chat*.

De même *Paul a cassé le vase* sera équivalent sémantiquement à *C'est Paul qui a cassé le vase*.

Les équivalences peuvent être d'ordre lexical :

1) *Elle a réprimandé son enfant.*

2) *Elle a grondé son enfant.*

3) *Elle a engueulé son moutard.*

4) *Elle s'est fâchée contre son enfant.*

Ces quatre phrases sont des paraphrases sémantiques. Les verbes sont synonymes et ont les mêmes sèmes dénotatifs. Cependant, leurs sèmes connotatifs diffèrent : si les deuxième et dernière phrases sont d'un registre de langue courant, la première est d'un niveau de langue soutenu et la troisième appartient à un langage familier.

Ces exemples nous invitent à une réserve : il est très difficile d'envisager la phrase en dehors de tout cadre énonciatif et la notion de paraphrase sémantique n'implique pas pour autant que ces phrases soient des calques sémantiques parfaits. La phrase *C'est Paul qui a cassé le vase* implique qu'on sait déjà que le vase a été cassé, alors que dans la phrase *Paul a cassé le vase*, on apprend à la fois qu'un vase a été cassé et que Paul est le coupable. De même, l'emploi de tel ou tel registre de langue nous donne des renseignements sur le locuteur ou sur l'interlocuteur potentiel.

C'est pourquoi les linguistes s'intéressent de plus en plus à l'énoncé. On entend par **paraphrase pragmatique** la paraphrase de l'énoncé ayant la même signification que lui. Pourquoi le terme **pragmatique** ? Comme son étymologie l'indique (le mot grec *pragma* signifiant *action*), une paraphrase pragmatique est une paraphrase de la phrase en action, c'est-à-dire énoncée dans un certain contexte, en particulier face à certains interlocuteurs. Mais il faut entendre *pragmatique* dans un second sens. L'énoncé n'est jamais pure gratuité. Il est toujours adressé à autrui, même dans le cas d'un monologue et, de ce fait, comme nous le verrons plus amplement dans les chapitres suivants, il est souvent chargé d'une intention, il vise à agir sur l'autre.

Ainsi, *Il pleut* aura, suivant le contexte, une infinité de paraphrases pragmatiques possibles. Il pourra par exemple signifier :

1) *Il faut rentrer le linge.*

2) *Nous ne pourrons pas aller nous promener.*

3) *Le niveau de la Seine va encore monter.*

4) *Pierre va être de mauvaise humeur.*
   etc.

Toutes ces paraphrases pragmatiques ont pour point commun d'être des conséquences de l'énoncé initial. Mais ces conséquences sont soit de type déclaratif (cf. les deuxième, troisième et quatrième paraphrases), soit des injonctions (cf. la première paraphrase). C'est ce dernier type de paraphrase qui est à proprement parler pragmatique puisqu'il s'agit en quelque sorte d'un ordre indirect. Beaucoup d'énoncés ont pour paraphrases pragmatiques des injonctions qui souvent ne sont pas énoncées explicitement par euphémisation (politesse, diplomatie…). Un éditeur qui dit à un auteur *Votre texte est long* sous-entend comme paraphrase pragmatique *Il faut le raccourcir.* Certaines paraphrases pragmatiques sont explicites, auquel cas elles suivent en toute logique l'énoncé. Il suffit de penser à la chanson :

Il pleut, il pleut, bergère
Rentre tes blancs moutons,

le deuxième vers est la paraphrase pragmatique du premier.

Mais c'est précisément parce qu'un énoncé ne doit pas être pris à la lettre mais doit être compris selon une paraphrase pragmatique, la plupart du temps implicite, que la parole est source de malentendus. En voici un exemple : j'étais dernièrement en voiture avec un ami, conducteur du véhicule. Arrivés aux abords du boulevard périphérique, nous vîmes qu'il y avait des travaux.

Notre échange verbal fut le suivant :

Le CONDUCTEUR : *Y a-t-il du monde sur le périphérique ?*
MOI : *Non.*
Le CONDUCTEUR : *Mais si !*

La question de mon ami avait pour paraphrase pragmatique : *Puis-je prendre le périphérique ?* et j'avais naturellement compris ainsi sa question. Mais, entre l'énoncé de mon ami et cette paraphrase pragmatique, manque un maillon de la chaîne : une conséquence première de l'énoncé entraînant la conséquence seconde : *Puis-je prendre le périphérique ?* Cette conséquence première qui n'était pas la même pour mon ami et pour moi a causé le malentendu. Son énoncé avait pour lui comme paraphrase pragmatique : *Le périphérique est-il ouvert ?*, alors que pour moi, il pouvait se paraphraser en : *Y a-t-il des embouteillages ?*

Cet exemple montre à quel point la parole quotidienne emprunte des chemins détournés et combien elle est peu explicite.

# 2. L'EXPLICITE ET L'IMPLICITE

D'après le *Petit Robert*, est **explicite** « ce qui est réellement exprimé, formulé, ce qui est suffisamment clair dans l'énoncé et ne peut laisser de doute ». Inversement, est **implicite** « ce qui est virtuellement contenu dans une proposition, un fait, sans être formellement exprimé et peut en être tiré par déduction ou induction ». Comme antonymes d'*explicite*, le dictionnaire propose *implicite, allusif, confus, évasif, sous-entendu*.

Les paraphrases pragmatiques, en tant qu'énoncés non clairement exprimés, se déduisant d'un énoncé premier, appartiennent donc à l'implicite. Mais l'implicite revêt différents visages, en particulier le **présupposé** — qui, contrairement au sous-entendu, peut d'ailleurs être exprimé — et le **sous-entendu** qu'il ne faut pas confondre.

## 2.1 Posé, présupposé et sous-entendu

### Posé et présupposé

Reprenons l'exemple du logicien Russell *Le roi de France est chauve*. Dans cette phrase, ce qui est **posé**, ce qu'on est censé apprendre est la calvitie du roi de France, et ce qui est **présupposé**, c'est-à-dire censé être connu de l'interlocuteur, allant de soi, est qu'il existe un roi de France. Et c'est justement parce que le présupposé est contestable que la phrase ne remplit pas les conditions de vérité permettant de décider si l'énoncé est vrai ou faux.

Cette phrase va nous donner l'occasion de distinguer le présupposé et le posé de deux autres couples de termes qui peuvent ou non recouper ces notions :
– **le sujet**, et ce qui est dit du sujet : **le prédicat ;**
– **le thème**, à savoir ce dont on parle et **le rhème**, à savoir ce qu'on apprend sur le thème.

Dans la phrase *Le roi de France est chauve*, le présupposé est en même temps le thème et le sujet (*Le roi de France*). Quant au posé, il coïncide avec le rhème et le prédicat (*est chauve*). Mais dans la phrase *Paul a dénoncé Marie*, le présupposé, implicite, est que Marie a commis une faute, le sujet est Paul et on ne peut pas réellement parler de thème et de rhème, puisque ce qu'on apprend est l'ensemble de la phrase.

Reprenons également l'exemple suivant : *C'est Paul qui a cassé le vase.* Est posée la culpabilité de Paul et sont présupposés à la fois l'existence d'un vase et le fait que ce vase a été cassé.

Le présupposé est, comme l'indique le préfixe **pré**-, ce qui est déjà su. C'est en quelque sorte un avant du posé qu'on trouve par induction. Très souvent, le présupposé est décelable au niveau de la phrase, sans qu'on ait besoin d'avoir recours au contexte ou au co-texte. Mais il arrive que seule la situation d'énonciation de la phrase permette de savoir ce qui est présupposé et donc posé. Imaginez l'énoncé suivant : *Je vais au cinéma avec Pierre.* Il peut être la réponse à la question suivante : *Où vas-tu ?*, auquel cas est posé *au cinéma avec Pierre* mais il peut tout aussi bien être la réponse à la question : *Avec qui vas-tu au cinéma ?*, le posé étant alors *avec Pierre*. À noter cependant que la langue, par économie, a tendance à ne pas répéter tel quel le présupposé mais à utiliser l'ellipse ou l'anaphore. Ainsi, si la question est *Avec qui vas-tu au cinéma ?*, la réponse sera plus fréquemment *Avec Pierre* ou *J'y vais avec Pierre*.

Prenons maintenant l'exemple suivant : *Paul est allé à l'enterrement de sa mère.* Est présupposée la mort de sa mère. Si l'on met cette phrase à la forme négative (*Paul n'est pas allé à l'enterrement de sa mère*) ou à la forme interrogative (*Paul est-il allé à l'enterrement de sa mère ?*), on constate que le présupposé (= la mort de sa mère) demeure inchangé contrairement au posé qui, dans la phrase négative, s'oppose à celui de la phrase affirmative. L'invariance du présupposé, que la phrase soit à la forme affirmative, négative ou interrogative, est un des principaux critères de reconnaissance du présupposé qui permet aussi de le distinguer du sous-entendu.

### Présupposé et sous-entendu

Reprenons l'exemple : *C'est Paul qui a cassé le vase.* Que peut sous-entendre pareil énoncé ? Paul est maladroit, ce n'est pas Marie qui l'a cassé, contrairement à ce qu'on pensait, ou encore Paul a commis la meilleure action de sa vie en cassant cet horrible vase, etc.

Si je mets mon énoncé à la forme négative : *Ce n'est pas Paul qui a cassé le vase*, qu'advient-il de mes sous-entendus ? Ils ne sont plus pertinents et d'autres sous-entendus se substituent à eux : on l'a accusé à tort, etc.

On voit à travers ces quelques exemples que le sous-entendu et le présupposé, tout en étant deux modes de l'implicite, ont un fonctionnement bien différent. Voici leurs principales différences :
– le présupposé demeure inchangé, que la phrase soit affirmative, négative ou interrogative, contrairement au sous-entendu ;
– si le présupposé est ce qui est censé être connu de l'interlocuteur, s'il est un avant du posé, le sous-entendu, véritable paraphrase pragmatique, est une déduction, une conséquence, en quelque sorte un après du posé ;
– le présupposé est censé être une évidence partagée par le locuteur et l'interlocuteur, alors que le sous-entendu peut être source de malentendus, le locuteur sous-entendant volontairement ou non quelque chose que l'interlocuteur ne saisit pas ou saisit différemment ;
– les présupposés sont en nombre fini, alors que les sous-entendus peuvent être multiples ;
– les présupposés peuvent en règle générale être trouvés sans avoir recours au contexte ou au co-texte : ils appartiennent à la phrase et donc à la sémantique ; les sous-entendus dépendent étroitement du contexte : ils appartiennent à l'énoncé et ont une fonction pragmatique ;
– le linguiste peut repérer les différents types de présupposition et les procédés linguistiques révélant le présupposé, mais le domaine des sous-entendus n'est guère formalisable.

## 2.2 Mécanismes linguistiques créateurs de la présupposition

### Structures présuppositionnelles

S'il est difficile de dresser une typologie exhaustive des phénomènes linguistiques entraînant une relation de présupposition, on peut cependant en relever certains :

• Phrases avec verbe recteur exprimant une subjectivité
Tel est le cas de verbes de sentiment comme *se réjouir, regretter...* Dans la phrase *Je suis heureux qu'il vienne,* est posé le contenu de la proposition principale et est présupposé le contenu de la proposition complétive. D'ailleurs, mettre le verbe recteur à la forme négative (*Je ne suis pas heureux qu'il vienne*) ne modifie en rien le présupposé.

• Phrases avec verbe recteur exprimant un jugement sur la vérité ou la fausseté du contenu de la complétive
Tel est le cas de verbes comme *savoir, ignorer, se douter, s'imaginer...* Le linguiste Karttunen appelle ces verbes **factifs** quand ils présupposent la vérité et **contrefactifs** quand ils présupposent la fausseté du procès de la complétive. Ainsi, la phrase *Paul sait que Marie viendra à la soirée* a pour présupposé *Marie viendra à la soirée.* Deux mises en garde s'imposent : dans la phrase *Paul sait que Marie viendra à la soirée, que* est une conjonction de subordination introduisant une proposition subordonnée <u>conjonctive</u> complétive. Si le verbe recteur est nié, le présupposé demeure inchangé : *Paul ne sait pas* (ou *ignore*) *que Marie viendra à la soirée.* Ce n'est pas le cas si est substitué à la conjonction de subordination l'adverbe interrogatif *si.* La phrase *Paul sait* (ou *ne sait pas*) *si Marie viendra à la soirée* ne présuppose ni la venue de Marie ni sa non-venue : c'est le propre de l'<u>interrogation</u>.

En outre, il ne faut pas confondre verbes factifs (ou contrefactifs) et verbes d'opinion. Une phrase telle que *Je pense* (ou *je crois*) *que Marie viendra à la soirée* ne présuppose pas la venue de Marie. Est simplement posée la venue probable de Marie. D'ailleurs, mettre la phrase à la forme négative le confirme : *Je ne pense pas* (ou *je ne crois pas*) *que Marie vienne à la soirée* pose la venue improbable de Marie, comme le révèle l'utilisation du subjonctif. Un autre phénomène linguistique le confirme : au lieu de *Je ne pense pas que Marie vienne à la soirée*, je peux dire *Je pense que Marie ne viendra pas à la soirée*, la négation pouvant affecter le verbe recteur ou le verbe en dépendant, sans réelle modification sémantique. Les verbes factifs ou contrefactifs n'ont naturellement pas cette possibilité, puisque le contenu de la complétive est le présupposé qui, en tant que tel, ne change pas selon que le verbe recteur est à la forme affirmative ou négative.

• Phrases contenant un verbe transformatif

On entend par verbes **transformatifs** les verbes qui comportent en eux-mêmes la notion de seuil au-delà duquel l'action ne peut pas être prolongée mais seulement recommencée. Comparons ainsi les verbes *marcher* et *sortir*. *Je suis sorti* comme *Je me suis levé* révèlent une transformation, à savoir le passage d'un état à un autre état résultant de l'action accomplie. En revanche, *j'ai marché* révèle une action qui n'indique aucune transformation. D'ailleurs, dans le cas des verbes intransitifs, les verbes transformatifs se conjuguent aux temps composés avec l'auxiliaire *être* qui marque précisément un état, un résultat à l'action accomplie, alors que les verbes non transformatifs se conjuguent avec l'auxiliaire *avoir*. Un verbe transformatif, puisqu'il marque un changement d'état, présuppose l'état premier. *Paul est sorti* présuppose que Paul était à l'intérieur, *je me suis levé* présuppose que j'étais assis ou couché.

• Phrases comportant un semi-auxiliaire ou un adverbe marquant l'aspect

On entend par **aspect** la catégorie grammaticale envisageant la temporalité interne du procès : par exemple, dans la phrase *Soudain, il pleura*, le passé simple marque l'aspect **inchoatif**, c'est-à-dire le commencement du procès. *Il pleura* équivaut à *Il se mit à pleurer,* phrase où *se mettre à* fonctionne comme semi-auxiliaire aspectuel. Dans une pareille phrase, est présupposé qu'il ne pleurait pas auparavant. Comparons : *Il a cessé de fumer* et *Il continue de fumer*. Si les posés s'opposent, le présupposé est le même : il fumait avant. Les adverbes *encore* et *déjà* ont un fonctionnement inverse : dans les phrases *Paul est encore là* et *Paul est déjà là,* est posée la présence de Paul mais les présupposés s'opposent. *Paul est encore là* présuppose qu'il était déjà là auparavant, alors que *Paul est déjà là* présuppose qu'il n'était pas là auparavant. Mais l'analyse est parfois plus complexe : songez à l'étude faite par Franckel de *commencer à* et *se mettre à*. Si *se mettre à P* présuppose qu'auparavant il y avait non P, *commencer à* peut avoir le même présupposé que *se mettre à* (ex. : *Il commence à pleuvoir*), mais peut aussi présupposer qu'auparavant il y avait : *pas vraiment P* (ex. : *Je commence à en avoir marre*).

• Phrases comportant une épithète non déterminative
Ce cas peut concerner les adjectifs qualificatifs ou les propositions subordonnées relatives appositives. Si une épithète n'a pas une fonction déterminative, c'est qu'elle n'est pas censée apporter une information nouvelle, donc qu'elle ne fait pas partie du posé. Tel est le cas de l'adjectif antéposé qui développe des sèmes contenus dans le substantif. Qu'il s'agisse de *la verte vallée* ou *du bouillant Achille*, l'antéposition signale une évidence, une caractéristique supposée connue. Certaines relatives appositives ont tendance à fonctionner de la sorte. Dans la phrase *Les Allemands, qui boivent beaucoup de bière, sont gros*, est posée l'obésité des Allemands dont la cause est contenue dans la relative et est censée être déjà connue de tous. D'ailleurs, l'antéposition de la cause n'est pas neutre. Dans la phrase *Les Allemands sont gros parce qu'ils boivent beaucoup de bière*, le posé est dans la proposition subordonnée circonstancielle de cause. Commencer une phrase par ce qui est déjà connu est *a priori* plus logique.

• Interrogations partielles
Dans une interrogation **partielle**, l'interrogation porte sur un élément de la question (la réponse ne peut être oui ou non), alors que l'interrogation totale affecte tout l'énoncé. Une interrogation partielle telle que *Avec qui Paul ira-t-il au cinéma ?* présuppose que Paul ira — ou compte aller — au cinéma. Ce qui constituera l'information nouvelle dans la réponse est qui accompagnera Paul au cinéma.

On voit donc que les compléments circonstanciels d'une phrase n'ont pas toujours le même statut : ils peuvent faire partie du posé ou du présupposé, suivant les contexte et co-texte, voire l'intonation. La langue utilise différents moyens pour mettre en relief ce qui est posé, ce qui est en principe l'information nouvelle ; l'intonation en est un, mais elle peut en utiliser d'autres, comme l'emploi du tour présentatif *c'est... que* ou *c'est... qui*, le terme encadré étant ce qui est posé (on parle alors de **construction clivée**) ou encore l'extraposition fréquente à l'oral : *Pierre, je l'ai rencontré dans la rue.*

Il arrive que ce qui constitue *a priori* le présupposé d'une phrase contienne en fait l'information que le locuteur veut transmettre à l'autre. Si, lors d'une soirée mondaine, un invité dit à ses interlocuteurs : *Le mois dernier aux Baléares, j'ai eu un gros rhume*, il y a de fortes chances pour que l'invité en question ait glissé habilement dans ce qui devrait être le présupposé l'information qu'il souhaite délivrer : façon faussement naturelle et modeste de se mettre en valeur !

Posé et présupposé sont deux notions essentielles qui se retrouvent dans l'utilisation de bon nombre de mots : si l'article indéfini *un* pose l'existence de l'agneau dans le premier vers de la fable de La Fontaine intitulée *Le Loup et l'Agneau* (*Un agneau se désaltérait...*), il présuppose l'existence d'autres agneaux. L'article défini, quant à lui, utilisé au vers 10 de la même fable (*Sire, répond l'agneau...*), présuppose que l'agneau appartient au domaine du connu. On pourrait multiplier les exemples ; on se contentera d'en étudier deux de plus près.

### Deux exemples : *puisque* et *parce que*

Pour illustrer notre étude du fonctionnement de *puisque* et de *parce que*, prenons le début de la scène 9 (acte I) du *Mariage de Figaro* de Beaumarchais : Bazile, maître de musique ou plutôt maître chanteur au service du comte, essaie de convaincre Suzanne d'accepter que le comte use avec elle du droit du seigneur (droit du seigneur sur la nuit de noces de la femme d'un de ses sujets, en l'occurrence Figaro). Or, pendant que Bazile s'entretient avec Suzanne, le comte est caché, à l'insu de Bazile.

1 BAZILE. – N'auriez-vous pas vu Monseigneur, Mademoiselle ?

SUZANNE, *brusquement*. – Hé pourquoi l'aurais-je vu ? Laissez-moi.

BAZILE *s'approche*. – Si vous étiez plus raisonnable, il n'y aurait rien d'étonnant à ma question. C'est Figaro qui le cherche.

5 SUZANNE. – Il cherche donc l'homme qui lui veut le plus de mal après vous ?

LE COMTE, *à part*. – Voyons un peu comme il me sert.

BAZILE. – Désirer du bien à une femme, est-ce vouloir du mal à son mari ?

10 SUZANNE. – Non, dans vos affreux principes, agent de corruption.

BAZILE. – Que vous demande-t-on ici que vous n'alliez prodiguer à un autre ? Grâce à la douce cérémonie, ce qu'on vous défendait hier, on vous le prescrira demain.

SUZANNE. – Indigne !

15 BAZILE. – De toutes les choses sérieuses, le mariage étant la plus bouffonne, j'avais pensé…

SUZANNE, *outrée*. – Des horreurs. Qui vous permet d'entrer ici ?

BAZILE. – Là, là, mauvaise ! Dieu vous apaise ! Il n'en sera que ce que vous voulez : mais ne croyez pas non plus que je regarde

20 Monsieur Figaro comme l'obstacle qui nuit à Monseigneur ; et sans le petit page…

SUZANNE, *timidement*. – Don Chérubin ?

BAZILE *la contrefait*. – *Cherubino di amore*, qui tourne autour de vous sans cesse, et qui, ce matin encore, rôdait ici pour y entrer

25 quand je vous ai quittée ; dites que cela n'est pas vrai ?

SUZANNE. – Quelle imposture ! Allez-vous-en, méchant homme !

BAZILE. – On est un méchant homme, parce qu'on y voit clair. N'est-ce pas pour vous aussi cette romance dont il fait mystère ?

SUZANNE, *en colère*. – Ah ! oui, pour moi !

30 BAZILE. – À moins qu'il ne l'ait composée pour Madame ! En effet, quand il sert à table, on dit qu'il la regarde avec des yeux !… Mais, peste ! qu'il ne s'y joue pas ; Monseigneur est *brutal* sur l'article.

SUZANNE, *outrée*. – Et vous bien scélérat d'aller semant de pareils bruits pour perdre un malheureux enfant tombé dans la disgrâce de

35 son maître.

BAZILE. – L'ai-je inventé ? Je le dis <u>parce que</u> tout le monde en parle.

LE COMTE *se lève.* – Comment, tout le monde en parle !

SUZANNE. – Ah ciel !

40 BAZILE. – Ha, ha !

LE COMTE. – Courez, Bazile, et qu'on le chasse.

BAZILE. – Ah ! que je suis fâché d'être entré !

SUZANNE, *troublée.* – Mon Dieu ! mon Dieu !

LE COMTE, *à Bazile.* – Elle est saisie. Asseyons-la dans ce fauteuil.

45 SUZANNE, *le repoussant vivement.* – Je ne veux pas m'asseoir. Entrer ainsi librement, c'est indigne !

LE COMTE. – Nous sommes deux avec toi, ma chère. Il n'y a plus le moindre danger !

BAZILE. – Moi je suis désolé de m'être égayé sur le page, <u>puisque</u>
50 vous l'entendiez ; je n'en usais ainsi que pour pénétrer ses sentiments, car au fond…

Dans ce début de scène, deux propositions sont introduites par *parce que* et une par *puisque*. L'emploi de ces deux conjonctions est en étroit rapport avec la présupposition. Dans la première occurrence (l. 27), la proposition principale (*On est un méchant homme*) reprend l'apostrophe (*méchant homme*) de la réplique précédente de Suzanne. La conjonction *parce que* introduit en revanche un élément nouveau. Bazile pose un rapport de cause à effet, l'effet étant de l'ordre du présupposé puisque Suzanne l'a déjà mentionné.

La deuxième occurrence (l. 36) fonctionne de la sorte : la proposition principale (*Je le dis*) reprend les *bruits* (l. 34) que Suzanne reproche à Bazile de semer. La proposition conjonctive introduite par *parce que* apporte un élément nouveau pour Suzanne mais surtout pour l'interlocuteur caché, à savoir le comte, qui d'ailleurs réagit aussitôt en sortant de sa cachette et en s'écriant : *Comment, tout le monde en parle !*

Dans ces deux occurrences, est posée la cause. Cette cause est censée apporter une explication au comportement de Bazile à la ligne 27 et justifier ses paroles à la ligne 36. La proposition principale n'apporte rien de nouveau mais ce n'est pas toujours le cas. Si un professeur arrive en cours et annonce à ses étudiants : *Je ne ferai pas cours la semaine prochaine parce que j'assiste à un colloque*, est posé l'ensemble de la phrase. Les étudiants apprennent en effet l'absence du professeur et la cause de son absence.

Examinons maintenant la troisième occurrence : *puisque* introduit *vous l'entendiez*, *vous* renvoyant à l'interlocuteur, à savoir le comte et le pronom personnel complément *le* renvoyant à tous les propos médisants de Bazile au sujet de Chérubin qu'a effectivement entendus le comte, puisqu'il était caché. Dans cette phrase, contrairement aux deux autres, est posé le regret de Bazile de *s'être égayé sur le page* (exprimé dans la proposition principale) mais ce qui est dit dans la proposition introduite par *puisque* n'est pas une information nouvelle : c'est le présupposé.

La formation même de ces deux conjonctions est significative. *Parce que* peut se gloser en *par ce fait, à savoir que* : *par* introduit une cause <u>posée</u> par *ce* qui va ensuite être développée par *que* ; *puisque* ne contient pas le démonstratif *ce,* qui pose et a fonction cataphorique, mais l'adverbe *puis* qui présuppose que quelque chose précède : *puisque* reprendrait ce qui a été dit, pensé précédemment, d'où son rôle d'introduire une cause censée être connue, d'où sa fonction en quelque sorte anaphorique.

Comment expliquer alors la célèbre phrase du monologue de Figaro (acte V, scène 3) :

> *Parce que vous êtes un grand seigneur, vous vous croyez un grand génie !...*

Le comte est effectivement *un grand seigneur*, c'est une évidence pour tous mais l'évidence qui est réfutée est le lien causal, logique entre être *un grand seigneur* et être *un grand génie*. *Puisque* introduit non seulement un élément déjà connu mais aussi pose comme évident le lien causal entre deux propositions, d'où l'utilisation récurrente en géométrie de cette conjonction qui est un des pivots du raisonnement. La phrase *\*Puisque vous êtes un grand seigneur, vous vous croyez un grand génie !* est irrecevable car il y a contradiction entre *puisque* introduisant un lien de cause à effet évident et *vous vous croyez* qui infirme ce lien logique. En revanche, si l'on substitue le verbe *être* au verbe *se croire,* la phrase devient parfaitement recevable : *Puisque vous êtes un grand seigneur, vous êtes un grand génie.*

La présence courante — explicite ou implicite — du verbe *falloir* (ou d'un autre verbe marquant la nécessité) dans une des propositions est probablement significative de ce lien logique, <u>nécessaire</u> qu'établit *puisque.* Pensez à des phrases telles que *Puisqu'il le faut, j'irai, puisque je te le dis, c'est que c'est* (nécessairement) *vrai...* Il suffit de lire la fable de La Fontaine intitulée *Les Animaux malades de la peste* pour s'en rendre compte :
– vers 4... *puisqu'il faut l'appeler par son nom*
– vers 54... *puisqu'il faut parler net*

On voit ainsi que, si ces deux conjonctions introduisent un rapport causal, elles ont un fonctionnement radicalement différent : *puisque* introduit le présupposé et signale un lien de cause à effet évident, alors que *parce que* introduit le posé. Aussi ne peut-on pas utiliser *puisque* dans une construction clivée (*\*C'est puisque je ne serai pas là....*) ou en réponse à une interrogation partielle portant sur le pourquoi d'un fait (*Pourquoi as-tu agi ainsi ? – \*Puisque...*).

On comprend dès lors que *puisque,* présentant une cause censée être connue, évidente, soit utilisé comme coup de force argumentatif. C'est souvent le cas dans le domaine juridique et politique. Par exemple, un avocat général voulant pousser l'accusé à avouer qu'il était présent à une certaine heure sur les lieux du crime pourra lui poser une question telle que : *Puisque vous étiez à huit heures rue de la Roquette, avez-vous remarqué quelque chose d'anormal ?* L'accusé peut certes rétorquer : *Mais puisque je vous dis que je n'y étais pas !,* substituant à une évidence une autre évidence, mais il peut aussi tomber dans le piège linguistique tendu par l'avocat et répondre alors à la question posée. De même, combien de fois *puisque* est utilisé pour introduire une cause ou un lien logique qui, en réalité, ne vont pas de soi et forcer ainsi l'adhésion de l'interlocuteur ! C'est

ainsi que la proposition *Puisque les Français sont prêts à faire des efforts* :
cause présentée comme évidente (!), peut entraîner toute une série de
mesures rendues évidentes par l'utilisation habile d'un *puisque*.

### Fonctions de l'adjectif qualificatif

L'analyse des différentes fonctions de l'adjectif qualificatif offre plus de
complexité. Nous avons déjà constaté que l'adjectif épithète antéposé qui
développait des sèmes contenus dans le substantif n'apportait aucun
élément nouveau et, de ce fait, appartenait au présupposé. Qu'en est-il des
autres épithètes liées ou détachées, des attributs du sujet et du COD ?

• Examinons tout d'abord le cas des attributs du sujet. La plupart du
temps, une phrase du type *Pierre est l'ami de Paul*, outre qu'elle présuppose l'existence de *Pierre* et de *Paul*, pose ce qui constitue le prédicat de
la phrase, à savoir l'attribut du sujet : on apprend au sujet de *Pierre* qu'il
est *l'ami de Paul*. Mais il est également possible que le sujet soit ce qui
est posé et que le présupposé soit l'attribut du sujet, c'est-à-dire le prédicat de la phrase. Si la phrase *Paul est médecin* répond à la question *Qui
est médecin parmi tes amis ?*, le posé est le sujet *Paul*. Certes, on aura
tendance dans la première phrase à substituer un pronom au sujet présupposé (*C'est l'ami de Paul*) et, dans la deuxième phrase, à utiliser l'ellipse
(*Paul*) mais on peut tout à fait envisager des réponses complètes.

Que sujet et attribut du sujet appartiennent au posé est plus rare. Ce
peut être le cas si, à l'occasion d'une soirée, je demande à la maîtresse de
maison de me dire qui est qui. Mais, au lieu de me répondre *Paul est
médecin*, elle posera de préférence d'abord l'identité de Paul, puis son
métier et me dira par exemple : *Le garçon qui se trouve près de la fenêtre,
c'est Paul. Il est médecin.*

• L'attribut du COD a un fonctionnement similaire à l'attribut du sujet. Le
présupposé peut être le COD, auquel cas l'attribut est ce qui est posé :
– *Comment trouves-tu Paul ?*
– *Je le trouve intéressant.*

Ou alors, le présupposé est l'attribut du COD, le posé étant le COD :

*– Qui as-tu trouvé intéressant à la soirée ?*

*– J'ai trouvé Paul intéressant.*

Comme dans le cas de l'attribut du sujet, c'est rarement à la fois le COD et l'attribut du COD qui sont posés, alors que l'épithète liée, postposée au nom, a souvent le même statut que lui :

*– Qu'as-tu acheté aux Puces de Vanves ?*

*– J'ai acheté une théière anglaise.*

*Une théière anglaise* est ce qui est posé.

• Enfin, l'adjectif en fonction d'apposition peut ou non appartenir à la présupposition. Franck Neveu, dans sa thèse sur *Les Constructions appositives détachées dans certaines œuvres biographiques et autobiographiques de J.-P. Sartre*, montre que l'adjectif apposé, en position frontale de la phrase, appartient généralement au thème, alors que, postposé au substantif, il a la plupart du temps une fonction rhématique, thème et rhème recoupant alors posé et présupposé. L'auteur de cette thèse explique que « la valeur présuppositionnelle du thème signale également l'importance "stratégique" du segment apposé placé en tête de séquence. Il recueille et synthétise [...] des indices informatifs antérieurs, des données éparses situées dans le co-texte antécédent... » Voici un des exemples qu'il cite, extrait des *Mots* :

> Il ne fallait pas la [il s'agit d'une mouche] tuer, bon Dieu ! De toute la création, c'était le seul être qui me craignait ; je ne compte plus pour personne. *Insecticide*, je prends la place de la victime et deviens insecte à mon tour.

Dans cette occurrence, *insecticide* est anaphorique de ce qui précède et, en tant que tel, a fonction thématique et présuppositionnelle. En revanche, en « quittant l'antéposition en tête de séquence, [le terme apposé] quitte le poste thématique, qui lui fait jouer le rôle hautement cohésif de marqueur de continuité textuelle, et contribue par conséquent à la progression des informations sur l'ensemble d'une masse verbale donnée ».

En témoigne cet autre exemple qu'il cite, extrait du *Séquestré de Venise* :

> Comment diminuer les coûts ? Voilà la question qui le tourmente. Un jour, il trouve la réponse, *mesquine et géniale*, qui va bousculer une tradition...

Les deux adjectifs *mesquine* et *géniale* apportent une information nouvelle et n'appartiennent donc pas au présupposé.

Ces exemples montrent combien il est parfois difficile de saisir ce qui est posé et ce qui est présupposé. Le co-texte et le contexte sont souvent significatifs à cet égard et il est bien périlleux d'envisager la phrase, hors de son contexte d'énonciation. Il n'est donc pas étonnant qu'une discipline comme la pragmatique ait pris une telle ampleur.

# DE L'ÉNONCÉ À L'ÉNONCIATION

Au chapitre précédent, nous avons distingué la phrase, entité linguistique théorique, de l'énoncé, à savoir ce qui est effectivement énoncé à l'écrit ou à l'oral et qui doit être considéré en tenant compte du co-texte et du contexte.

Quelle est maintenant la différence entre l'**énoncé** et l'**énonciation** ? La différence se lit à travers les termes mêmes : *énoncé* est un participe passé qui, par dérivation impropre, est devenu substantif. L'*énoncé* est donc ce qui est énoncé, passif à valeur résultative : c'est précisément le résultat de l'*énonciation,* terme dont le suffixe -*ation* marque l'action. La différence entre *énoncé* et *énonciation* est semblable à celle qui existe entre *produit* et *production.*

S'intéresser à l'**énonciation**, c'est prendre en compte l'<u>acte</u> et la <u>manière</u> d'énoncer mais aussi la <u>situation</u> (temps, lieu…) où elle se réalise et naturellement celui qui est à son origine, à savoir l'<u>énonciateur.</u>

À partir de là, la tâche du linguiste peut être sans limites. Prendre en compte la situation, c'est, par exemple, étudier le **kinésique** (du grec *kinesis* signifiant *mouvement*), c'est-à-dire les mimiques, les postures et les gestes qui accompagnent l'énonciation. Prendre en compte l'énonciateur nous entraîne dans des considérations psychologiques, sociales, historiques, etc. L'intérêt d'une telle approche est indéniable mais difficilement formalisable.

Aussi se bornera-t-on dans ce chapitre à apprendre à repérer quelques marques de l'énonciation, c'est-à-dire tout ce qui dans le <u>dit</u> dénonce du <u>dire.</u>

# 1. LES EMBRAYEURS

Dans un énoncé, certains mots peuvent renvoyer à l'acte et aux circonstances de l'énonciation. Comparons les deux énoncés suivants :

*Je viendrai ici demain.*

*Paul partit là-bas le lendemain.*

Dans le premier énoncé, chaque mot renvoie à l'énonciation. *Je*, c'est celui qui énonce, l'énonciateur, *viendrai* associé à *demain* marquent une temporalité dont la référence est le moment où est énoncée cette phrase, *ici* est le lieu où le *je* se trouve, lieu de l'énonciation. Le second énoncé, en revanche, ne nous livre aucun renseignement sur l'énonciation : rien n'est dit sur l'énonciateur, les marques temporelles (passé simple et *le lendemain*) n'ont pas pour repère le moment où est énoncée cette phrase ; quant au lieu *là-bas*, il est sans rapport avec le lieu de l'énonciation.

Ces mots qui font le lien entre l'énoncé et l'énonciation, qui n'ont de sens qu'en rapport avec les circonstances de l'énonciation, sont appelés des **embrayeurs**, traduction française du terme anglais ***shifter***. Embrayer signifie couramment établir la communication entre un moteur et la machine qu'il doit mouvoir. Dans le contexte linguistique, les embrayeurs ancrent l'énoncé dans la situation.

Les embrayeurs, comme l'illustre l'énoncé *Je viendrai ici demain*, peuvent être classés selon trois repères : le repère <u>subjectif</u>, le repère <u>spatial</u> et le repère <u>temporel</u>.

## 1.1 Les embrayeurs subjectifs

Certains termes grammaticaux, à savoir les pronoms personnels, les adjectifs ou pronoms possessifs utilisés dans l'énonciation et certains termes affectifs, embrayent la langue sur le discours et sont à ce titre des embrayeurs.

### Les pronoms personnels et les possessifs

Trois remarques s'imposent quand on envisage les pronoms personnels dans le cadre de l'énonciation.

• Tout d'abord, les première et deuxième personnes n'ont pas le même statut que la troisième. Les pronoms personnels de la troisième personne du singulier et du pluriel sont <u>représentants</u> : anaphoriques, ils remplacent un nom pour éviter généralement une répétition et ne font pas partie du cadre de l'énonciation (à *Paul vient* peut être substitué *il vient*). En revanche, les pronoms personnels des première et deuxième personnes ne sont pas anaphoriques, ne sont pas commutables avec des noms et entrent dans le cadre de l'énonciation (à *je viens* ne peut être substitué *\*Paul viens*). Ce statut différent est historiquement et morphologiquement perceptible. Tous les pronoms personnels de la troisième personne, exception faite du réfléchi qui a un fonctionnement particulier, viennent — comme l'article défini — du démonstratif latin *ille*, à valeur essentiellement anaphorique. Le phonème [l] est d'ailleurs commun à tous ces pronoms personnels de la troisième personne : *elle* vient de *illam*, *le* de *illum*, *leur* de *illorum*, *eux* de *illos*. Dans le cas de *eux*, le graphème *u* vient de la vocalisation à date ancienne du [l] devant [s], après chute de la voyelle finale. Quant au graphème *x*, il est l'ancienne graphie qu'adoptaient les scribes du Moyen Âge pour *us*. Les pronoms personnels des première et deuxième personnes viennent pour leur part des pronoms personnels latins.

L'autre différence significative est la discrimination des genres à la troisième personne, alors que les autres personnes sont **épicènes** (ne varient pas en genre) : pourquoi préciser le genre, puisque la personne qui dit *je* et la personne à qui on dit *tu* sont identifiables par la situation d'énonciation ?

• La deuxième remarque à faire est le statut hybride des quatrième et cinquième personnes, traditionnellement appelées première et deuxième personnes du pluriel. Un *nous* n'équivaut jamais à plusieurs *je* et un *vous* n'équivaut pas toujours à plusieurs *tu*. De plus, *nous* et *vous* sont soit de purs pronoms personnels d'énonciation, soit des pronoms qui incluent une troisième personne.

1) *Paul et moi, <u>nous</u> allons souvent au cinéma.*

2) *Paul et <u>toi</u>, vous apporterez la galette des rois.*

3) *J'aimerais que <u>vous</u> vous taisiez.*

4) *Toi et moi, <u>nous</u> formons un sacré couple !*

Dans les deux premiers énoncés, *nous* et *vous* ne sont que partiellement pronoms personnels d'énonciation, puisqu'ils incluent une troisième personne, contrairement aux deux suivants : *vous* désigne les **allocutaires** (ceux à qui s'adresse *je* et qui ne prennent pas forcément la parole et ne sont donc pas systématiquement des interlocuteurs), *nous* englobe une première et une deuxième personnes.

• La dernière remarque est la suivante : la troisième personne est parfois utilisée à la place d'une deuxième personne dans certains contextes. Si une mère s'adressant à son bébé lui dit : *Il avait faim, le bébé*, l'emploi de la troisième personne et de l'imparfait révèle non pas une distance affective mais l'incapacité du bébé à répondre verbalement. On parle alors d'énoncé **hypocoristique**. Un autre cas est naturellement l'emploi de la troisième personne de respect, lorsqu'un serviteur s'adresse à son maître. Mais le pronom personnel n'est alors utilisé qu'en terme de reprise du substantif : Monsieur *est-<u>il</u> prêt ? ou* Madame *voudra-t-<u>elle</u> que je* lui *prépare un thé ?*

Ainsi, seuls les pronoms personnels de la troisième personne du singulier et du pluriel — exception faite des cas que nous venons de voir — ne sont pas des embrayeurs, puisqu'ils échappent au cadre énonciatif. Il en va de même pour les possessifs.

### Les termes affectifs

Parmi les embrayeurs subjectifs, on peut également ranger certains termes affectifs comme *maman, papa, tonton, mamie,* etc. L'exemple qui vient tout naturellement à l'esprit est l'*incipit* de L'*Étranger* d'Albert Camus :

Aujourd'hui, maman est morte. Ou peut-être hier, je ne sais pas.

*Maman* équivaut en langage familier à *ma mère* et renvoie donc au *je* énonciateur. C'est l'absence de déterminant qui ancre ces termes dans l'énonciation, dans un présent fictif. Dans un énoncé tel que *La maman de Meursault est morte, maman* n'est plus un embrayeur.

Sans parler d'embrayeurs subjectifs, l'emploi d'un certain registre de langue peut renseigner, comme nous l'avons déjà mentionné, sur l'énonciateur ou l'allocutaire auquel on s'adresse.

## 1.2 Les embrayeurs temporels

Il existe deux types d'embrayeurs temporels. Certains temps et adverbes (ou groupes nominaux) de temps ont pour repère le moment de l'énonciation.

### Les temps verbaux

Le temps par excellence de l'énonciation est le présent. Mais temps de l'énonciation et temps linguistique ne coïncident pas. Si je dis *Je suis absente cet après-midi,* le temps linguistique a une durée d'environ quatre heures, alors que le temps d'énonciation dure approximativement une seconde. Dans un seul cas, on peut dire que présent de l'énonciation et présent linguistique se recoupent : dans le cas de verbes dits **performatifs** (de l'anglais *to perform* qui signifie *accomplir*) dont la simple énonciation réalise l'acte qu'ils expriment. Dire *Je vous remercie*, c'est effectuer l'acte de remercier. Il suffit de dire *Je vous remercie* pour avoir remercié, alors qu'il ne suffit pas de dire *Je travaille* pour avoir travaillé !

Les temps qui ont pour référence le moment de l'énonciation sont le présent, le passé composé marqueur d'antériorité et le futur marqueur de postériorité. Qu'en est-il alors de ces temps qui semblent ne pas avoir pour repère le moment d'énonciation ? Prenons par exemple le célèbre épisode de la madeleine dans *Du côté de chez Swann* de Marcel Proust :

D'où avait pu me venir cette puissante joie ? Je sentais qu'elle était liée au goût du thé et du gâteau, mais qu'elle le dépassait infiniment, ne devait pas être de même nature. D'où venait-elle ? Que signifiait-elle ? Où l'appréhender ? Je bois une seconde gorgée où je ne trouve rien de plus que dans la première, une troisième qui m'apporte un peu moins que la seconde.

Il s'agit là du premier phénomène de mémoire involontaire raconté dans *À la recherche du temps perdu*. Le récit est au passé comme le montre le début du passage cité. Il est évident que le présent (*bois, trouve, apporte*) ne coïncide pas avec le moment de l'énonciation. Mais l'emploi de ce présent dit de narration rend plus vivant, plus <u>présent</u> le souvenir et mime en quelque sorte la mémoire qui fait surgir dans le présent des événements passés. L'effet stylistique qui est rendu est une coïncidence avec l'énonciation : ce souvenir qui a surgi involontairement de la mémoire du narrateur est celui-là même qui justifie l'énonciation, la narration de toute la *Recherche*.

De même, la phrase initiale de la *Recherche* :

Longtemps, je me suis couché de bonne heure.

avec l'emploi du passé composé, tranche sur la suite où domine l'imparfait. Ce passé composé initial faisant écho au passé composé qui clôt la *Recherche* (*tant de jours sont venus se placer*) a pour repère le moment où s'écrit l'œuvre et place ainsi d'emblée les souvenirs en étroit rapport avec l'écriture.

### Les circonstants temporels

Outre les temps grammaticaux, certains adverbes et groupes nominaux sont des embrayeurs. Tel est le cas de *hier, aujourd'hui, demain, maintenant...* qui ont pour repère le moment de l'énonciation, contrairement à *la veille, ce jour-là, le lendemain, alors...* qui ont pour repère un moment de l'énoncé. Comparez :

*Il se réveilla tard ce matin-là. La veille, il était allé à une soirée.*
*Il est malade aujourd'hui. Hier, il a mangé des huîtres.*

Dans le premier énoncé, *la veille* ainsi que le plus-que-parfait (*était allé*) marquent une antériorité par rapport à *ce matin-là* et au passé simple (*se réveilla*), moment de l'énoncé sans lien avec l'énonciation. Dans le second énoncé, *hier* et le passé composé marquent une antériorité par rapport à *aujourd'hui* et au présent, moment de l'énonciation.

## 1.3 Les embrayeurs spatiaux

### Les déictiques

Certains linguistes utilisent le terme **déictique** emprunté au grec *deiktikos* au lieu de celui d'**embrayeur**. Le mot grec *deiktikos* signifie *démonstratif* et vient du substantif *deixis*, à savoir *l'acte de montrer*. Puisque les embrayeurs renvoient aux circonstances de l'énonciation, à la situation, on comprend l'utilisation du terme *déictique* pour *embrayeur*. Mais il semble plus judicieux de garder l'appellation de *déictique* pour les embrayeurs qui peuvent précisément s'accompagner de la part du locuteur d'un geste de monstration. C'est le cas des démonstratifs.

### Les démonstratifs et adverbes de lieu

Si je dis : *Viens ici*, l'adverbe *ici* renvoie au lieu où je me trouve en tant que locuteur. Je peux, en prononçant un pareil énoncé, joindre le geste à la parole. Il en va de même si je dis *Donne-moi ça*. Le pronom démonstratif *ça,* abréviation courante de *cela,* désigne un objet appartenant *a priori* au lieu où s'effectue l'échange verbal.

La différence entre l'adverbe *ici* et le pronom démonstratif *ça* est que, d'une part, *ici* est suffisamment explicite en soi pour ne pas nécessiter une désignation gestuelle. S'il y a geste, il ne peut être que redondant, sauf si *ici* ne désigne pas le lieu où se trouve le locuteur mais un endroit plus précis comme par exemple une partie du corps. Si je dis *J'ai mal ici*, je dois joindre le geste à la parole pour me faire comprendre de mon interlocuteur. En revanche, le pronom démonstratif *ça* désigne n'importe quel objet appartenant à la sphère de l'énonciation. Le geste permet de désigner quel est l'objet nommé par *ça*. La conséquence de cette différence de fonctionnement est que je peux multiplier les *ça* et dire *Donne-moi ça, ça et ça* mais que l'énoncé *\*Viens ici, ici et ici* est irrecevable : il n'y a qu'un *ici*, le lieu du locuteur. Pour cette raison et conformément à l'étymologie, seuls les démonstratifs sont des déictiques.

Toutefois, ils peuvent également ne pas renvoyer au contexte, mais au co-texte, auquel cas ils ne sont plus déictiques mais anaphoriques ou cataphoriques, au même titre que les autres pronoms ou les articles définis. Ils rappellent qu'une notion <u>a déjà été énoncée</u> (cas de l'anaphore) ou annoncent que cette notion <u>va être énoncée</u> (cas de la cataphore). D'ailleurs, ce rapport entre anaphore ou cataphore et énonciation est souvent mentionné dans des propositions subordonnées relatives : *La personne dont je te parle* (ou *dont je vais te parler*) *habite dans ma rue.*

Les embrayeurs, qu'ils soient subjectifs, temporels ou spatiaux inscrivent d'emblée l'énoncé dans sa dimension énonciative, mouvante : je suis *je* l'instant d'une prise de parole mais très vite, l'autre me dépossède de mon *je* et je deviens *tu*.

## 2. LES ADVERBES D'ÉNONCIATION

### 2.1 Fonctionnement et rôle de ces adverbes

**Comparaison entre différents types d'adverbes**

Comparons les adverbes des énoncés suivants :

1) *Je suis <u>gravement</u> malade.*

2) *Il marche <u>lentement</u>.*

3) *Je suis <u>très</u> vivement intéressée.*

4) *Il est <u>probablement</u> chez Marie.*

5) *<u>Franchement</u>, il n'est pas très intelligent.*

À quel(s) élément(s) de l'énoncé les adverbes soulignés sont-ils incidents ou, en d'autres termes, sur quoi portent-ils ?

– dans le premier énoncé, *gravement* est incident à l'adjectif *malade* : c'est la maladie qui est grave ;

– dans le deuxième énoncé, *lentement* est incident au verbe *marcher* : c'est sa marche qui est lente ;

– dans le troisième énoncé, l'adverbe *très* est incident à un autre adverbe *vivement ;*

– dans le quatrième énoncé, *probablement* porte sur l'ensemble de l'énoncé : c'est sa présence chez Marie qui est probable ;

– dans le dernier énoncé, sur quoi porte l'adverbe *franchement* ? Qu'est-ce qui est franc dans cet énoncé ? Aucun élément de l'énoncé. L'adverbe *franchement* peut se paraphraser en *Si je parle franchement.* L'adverbe *franchement* est incident non à l'énoncé mais à l'énonciation.

Dans les trois premiers énoncés, l'adverbe porte sur un élément de l'énoncé dont il modifie le sens, dans l'avant-dernier énoncé, il porte sur tout l'énoncé dont il modalise la vérité et dans le dernier énoncé, on est en présence d'un adverbe d'énonciation qui garantit *a priori* la vérité de l'énoncé.

Lorsqu'on parle, on utilise fréquemment des adverbes (ou équivalents syntaxiques) d'énonciation. Tel est le cas de *honnêtement, vraiment, sincèrement* mais aussi *à dire vrai, pour être franc, si je puis m'exprimer ainsi* ou encore le *puisqu'il faut parler net* des *Animaux malades de la peste.*

Plusieurs remarques s'imposent : les adverbes d'énonciation et même les infinitifs prépositionnels comme *à dire vrai* ou *pour être franc* équivalent syntaxiquement à des propositions subordonnées conjonctives introduites par *si* : *à dire vrai* équivaut à *si je dis la vérité, sincèrement* à *si je suis sincère.* La question est de savoir quelle est la valeur de ce *si*, pourquoi il est utilisé.

Ce *si* introduisant une proposition contenant un verbe au présent marque une hypothèse au sens mathématique du terme, c'est-à-dire un point de départ, un postulat. Ce *si* énonciatif fonctionne de la même manière que le *si* de la phrase *Si deux et deux font quatre, quatre et quatre font huit.* Il équivaut donc à un *puisque* et révèle comme lui un lien logique de cause à effet irréfutable. D'ailleurs, *si* et *puisque* sont les deux seules conjonctions introduisant une justification de l'énonciation. Ce n'est pas un hasard si ces deux conjonctions sont particulièrement récurrentes dans les traductions de dialogues de Platon dans lesquels Socrate utilise l'art de la **maïeutique**, c'est-à-dire l'art de « faire accoucher » les esprits des pensées qu'ils contiennent sans le savoir. Socrate reprend ce que ses disciples ont énoncé dans une proposition souvent introduite par *si* ou *puisque* pour énoncer une nouvelle idée se déduisant en toute logique de celle contenue dans la proposition commençant par *si* ou *puisque*.

En voici deux exemples extraits du *Premier Alcibiade* :

> Alors, <u>puisque</u> ni le corps, ni le tout n'est l'homme, il reste, je pense, qu'il n'est rien, ou, s'il est quelque chose, il faut conclure que l'homme n'est autre chose que l'âme.

> <u>Si</u> donc la sagesse consiste à se connaître soi-même, aucun d'eux n'est sage du fait de sa profession.

### L'adverbe franchement

Reprenons maintenant l'énoncé *Franchement, il n'est pas très intelligent*. Nous avons dit qu'à *franchement* pouvait se substituer *si je parle franchement* et que *si* pouvait être remplacé par *puisque*. Or, \**puisque je parle franchement, il n'est pas très intelligent* n'est pas une phrase pouvant être énoncée. *Franchement*, en tant qu'adverbe d'énonciation, porte sur l'énonciation de l'énoncé *il n'est pas très intelligent*. On peut donc dire : *puisque je parle franchement, je dirai qu'il n'est pas très intelligent*. Mais là encore, si l'énoncé est plus recevable que le précédent, il ne l'est pas totalement. Essayons donc de recréer le co (n) texte d'un pareil énoncé.

L1 : *Comment trouves-tu Paul ?*

L2 : *Franchement, il n'est pas très intelligent.*

À partir de là, on comprend mieux cet énoncé. L'adverbe *franchement* peut se gloser en : *puisque tu me demandes de te dire franchement ce que je pense de Paul, je te répondrai qu'il n'est pas très intelligent*.

Pour illustrer cette idée, étudions le vers 376 de la scène 2 de l'acte II du *Misanthrope* de Molière :

Franchement, il est bon à mettre au cabinet.

Dans cette scène, Oronte demande à Alceste d'être juge du sonnet qu'il vient d'écrire. Il va de soi qu'Oronte attend d'Alceste qu'il loue sa poésie. Au début, Alceste essaie de se soustraire à cette requête, alléguant une sincérité qui n'est pas de mise en société (vers 299 à 300) :

J'ai le défaut
D'être un peu plus sincère en cela qu'il ne faut.

À cette réplique, Oronte répond (vers 301) :

C'est ce que je demande…

Alceste sait pertinemment qu'Oronte réclame de sa part la sincérité, si et seulement si le sonnet lui agrée. Aussi, après l'avoir entendu, s'efforce-t-il de façon détournée de le critiquer. Oronte saisit parfaitement que les critiques formulées par Alceste de manière générale visent en fait son sonnet. La réplique d'Oronte qui précède le vers d'Alceste contenant l'adverbe *franchement* est la suivante :

Voilà qui va fort bien, et je crois vous entendre.
Mais ne puis-je savoir ce que dans mon sonnet… ?

On comprend alors pleinement le *franchement* d'Alceste : *puisque vous voulez que je vous parle franchement (puisque vous refusez d'entendre mes critiques détournées)*.

Ces adverbes d'énonciation ont donc souvent pour fonction — même si ce n'est pas toujours le cas — de justifier l'énonciation d'un énoncé, en déchargeant en quelque sorte la responsabilité de cette énonciation sur l'autre. L'énoncé en devient irréfutable, d'où le glissement sémantique qu'ont connu certains de ces adverbes, comme *vraiment* ou *franchement*.

## D'adverbes d'énonciation à adverbes d'intensité

Comparons les deux énoncés suivants :

> *Franchement, il est bête.*
> *Il est franchement bête.*

La position de l'adverbe a une incidence sémantique sur l'énoncé. Dans le premier énoncé, en position détachée, l'adverbe appartient à une instance supérieure, celle de l'énonciation, alors que dans le second énoncé, *franchement,* antéposé à l'adjectif *bête* est incident à lui et, par voie de conséquence, ne fonctionne plus comme adverbe d'énonciation mais comme adverbe d'intensité renforçant l'adjectif.

Comment s'est opéré ce glissement sémantique ? Plusieurs hypothèses peuvent être avancées. *Franchement* atteste la vérité de mon énonciation (je suis franc en disant qu'il est bête) et, par métonymie en quelque sorte, la vérité de l'énoncé (Il est vrai qu'il est bête), d'où la valeur d'intensité attachée à *franchement.* Par ailleurs, *franchement* est souvent utilisé pour renforcer un élément négatif. Un énoncé tel que *Il est franchement intelligent* paraît plus étrange que *Il est franchement bête.* Cela s'explique aisément : *franchement,* à la différence d'un adverbe comme *vraiment,* signifie *sans détour, sans hésitation.* Or, on utilise plutôt un langage détourné lorsqu'on doit dire du mal de quelqu'un ou de quelque chose. Utiliser l'adverbe *franchement* signale que cette fois-là, on parlera sans détour, on dira les choses crûment, d'où l'effet d'intensité créé.

C'est pourquoi, la frontière entre *franchement* adverbe d'énonciation et *franchement* adverbe d'intensité est perméable.

Examinons la première phrase du roman de Louis Aragon intitulé *Aurélien* :

> La première fois qu'Aurélien vit Bérénice, il la trouva franchement laide.

Que dire de l'emploi de ce *franchement* ? Apparemment, c'est un adverbe d'intensité renforçant l'adjectif *laide.* Mais n'est-il pas également adverbe d'énonciation ? La **protase** (la partie ascendante de la phrase), à savoir *La première fois qu'Aurélien vit Bérénice*, appartient totalement au récit sans aucune trace de subjectivité, de discours. Mais l'adverbe *franchement,* utilisé dans l'**apodose** (la partie descendante de la phrase), semble détoner dans ce début de récit, comme si *franchement laide* était une parole énoncée par le personnage **éponyme** (= qui donne son nom à l'œuvre). D'ailleurs, la suite du texte qui mêle voix du narrateur et voix du personnage le confirme.

## 2.2 Les adverbes modalisateurs

**Définition**

Reprenons l'énoncé : *Il est probablement chez Marie.* Nous avons dit que l'adverbe *probablement* portait sur l'ensemble de l'énoncé. Cet adverbe a pour rôle de **modaliser** l'énoncé, c'est-à-dire de nuancer sa vérité. Il est en rapport avec l'énonciation dans la mesure où il nous informe de l'attitude de l'énonciateur vis-à-vis de son énoncé. Quand je dis *Il est probablement chez Marie,* je dis que <u>selon moi</u>, *il est chez Marie.* Parmi les modalisateurs, on peut ranger des adverbes comme *sans doute, certainement, sûrement...* qui renvoient à l'énonciateur. Dire que Paul est *certainement* chez Marie signifie *a priori* que <u>je suis certain</u> de la présence de Paul chez Marie.

**Glissement sémantique : du thétique à l'hypothétique**

Cependant, on s'aperçoit que, contrairement à leur sens premier, ces adverbes ne marquent pas une certitude catégorique. De **thétiques** (<u>posant</u> la vérité de l'énoncé), ils sont devenus **hypothétiques** (<u>supposant</u> la vérité de l'énoncé). Ce glissement sémantique qui, bizarrement, n'est pas toujours mentionné dans les dictionnaires, peut s'expliquer de deux façons : à trop être utilisés, ces adverbes ont connu une érosion sémantique ou alors, éprouver le besoin de les employer — et donc de renforcer son discours — est signe d'une faille. Combien de *sûrement* sont incertains, combien de *Je t'appellerai sûrement demain* restent sans lendemain !

De même, la mode actuelle de remplacer notre humble *oui* par des termes hyperboliques tels que *absolument, tout à fait...* risque fort d'affaiblir le sens de ces adverbes.

# 3. La polyphonie

## 3.1 Différentes instances énonciatives en littérature

### Auteur, narrateur, personnage

L'étude de l'adverbe *franchement* dans la première phrase d'*Aurélien* d'Aragon nous a permis de voir que dans un énoncé pouvaient se mêler deux voix. C'est un exemple de **polyphonie**, terme utilisé pour la première fois par Mikhaïl Bakhtine et repris ensuite par différents linguistes, en particulier par Oswald Ducrot, à savoir l'expression de deux, voire plusieurs voix dans un même énoncé. Cette polyphonie peut exister dans un énoncé comme elle existe dans une œuvre romanesque : un <u>homme</u> écrit un roman, devient ainsi l'<u>auteur</u> de ce roman, c'est-à-dire celui qui l'a écrit ; le <u>narrateur</u> est celui qui raconte l'histoire ou une des histoires du roman et le <u>personnage</u> est celui qui vit l'histoire ou une des histoires du roman.

La différence établie entre homme et auteur est celle que revendique par exemple Marcel Proust dans son *Contre Sainte-Beuve* lorsqu'il écrit qu'« un livre est le produit d'un autre moi que celui que nous manifestons dans nos habitudes, dans la société, dans nos vices » et que montre Julien Gracq dans son ouvrage intitulé *En lisant en écrivant*, à travers cette phrase : « [...] si je pousse la porte d'un livre de Beyle, j'entre en Stendhalie ». Selon ces auteurs, seule la voix de l'auteur est perceptible dans un roman.

Si le narrateur est différent de l'auteur, comme c'est le cas lorsque cette fonction est assumée par un personnage, se mêleront voix de l'auteur (instance énonciative impliquée par toute œuvre littéraire) et voix du narrateur-personnage. Mais peuvent se mêler encore d'autres voix.

Prenons *Le Lys dans la vallée* de Balzac qui commence par une lettre de Félix à Mme la comtesse Natalie de Manerville :

> Je cède à ton désir. [...] Aujourd'hui, tu veux mon passé, le voici.

Qui parle dans ce début de roman ? Tout d'abord, l'<u>auteur</u>, Balzac, extérieur au récit mais à l'origine de cet énoncé. Ensuite, le <u>narrateur-personnage</u>, Félix. Mais aussi la <u>destinataire</u>, si l'on admet que la deuxième phrase équivaut à *Puisque <u>tu me dis</u> aujourd'hui que tu veux que je te raconte mon passé, le voici*.

L'histoire que va raconter Félix se trouve ainsi justifiée par une instance énonciative autre, la destinataire Natalie de Manerville, image symbolique du lecteur dont l'auteur va contenter le désir d'histoire.

### Discours indirect libre et focalisation interne

Un texte littéraire est donc le lieu où s'enchevêtrent des voix, en particulier celles du narrateur et du personnage : c'est le cas, par exemple, dans les passages au discours indirect libre et en **focalisation interne** (lorsque le narrateur adopte le point de vue du personnage). Étudions ces deux phrases extraites de *L'Éducation sentimentale* de Gustave Flaubert, lors de la première rencontre entre Frédéric et Mme Arnoux :

> Quels étaient son nom, sa demeure, sa vie, son passé ?

> Elle était en train de broder quelque chose.

La première phrase est au discours indirect libre. Le narrateur retranscrit sous cette forme les questions que se pose Frédéric. Au discours direct, nous aurions : *Il se disait : Quels sont son nom, sa demeure, sa vie, son passé ?*

L'intérêt stylistique du discours indirect libre est de mêler narration et discours, voix du narrateur par le maintien du temps de la personne du récit et voix du personnage par l'absence d'un verbe introducteur (du type *Il se demandait...*) et la modalité, en l'occurrence, interrogative.

La deuxième phrase appartient au récit. Mais le narrateur adopte le point de vue de Frédéric en ne précisant pas ce que Mme Arnoux brode. Son point de vue n'est pas omniscient. Il se place là où est Frédéric et décrit Mme Arnoux à travers le regard de Frédéric. On peut dire qu'il y a polyphonie dans la mesure où le regard va de pair avec une énonciation intérieure, même inconsciente.

## 3.2 Locuteur et énonciateur

### Voix de plusieurs personnes dans un énoncé

Il en va de même pour beaucoup d'énoncés de la vie courante. Imaginons la situation suivante : Marie est invitée à une soirée chez Paul mais elle lui téléphone pour décliner l'invitation, étant malade. Paul rapporte la conversation à Pierre. Il peut lui dire :

1) *Marie ne vient pas, parce qu'elle est malade.*

2) *Marie est malade.*

3) *Marie a dit qu'elle était malade.*

4) *Marie serait malade.*

5) *Marie ne vient pas, sous prétexte qu'elle est malade.*

Dans les cinq énoncés, il y a polyphonie puisque sont rapportées par Paul les paroles énoncées par Marie.

Dans les deux premiers énoncés, Paul rapporte les paroles de Marie, sans préciser que ce sont ses paroles : il en assume la responsabilité et, de ce fait, rend crédible la maladie de Marie.

Dans le troisième énoncé, il signale, par l'emploi du discours indirect, que les propos émanent de Marie. Il se contente de les rapporter sans les prendre à sa charge. N'est plus affirmée la maladie de Marie mais le fait qu'elle l'a dit. Ce refus d'implication de la part du locuteur rend moins crédible sa maladie.

Il en va de même dans le quatrième énoncé. L'emploi du conditionnel hypothétise la maladie de Marie. Le locuteur ne prend pas en charge ce qu'il dit. Pareil énoncé peut se paraphraser en *Il paraît que Marie est malade.* Le conditionnel donne à entendre que c'est ce qu'<u>on</u> dit plutôt que c'est ce que Marie dit.

Enfin, dans le dernier énoncé, le locuteur prend position : en utilisant *sous prétexte que*, il prend la responsabilité de dire que la maladie de Marie est feinte. Il discrédite ainsi la raison invoquée par Marie.

Comment apparaît la maladie de Marie selon ces énoncés ?

Elle se présente comme vraie dans les deux premiers énoncés, douteuse dans les deux suivants et fausse dans le dernier.

On appellera **locuteur** celui qui produit l'énoncé et **énonciateur** celui qui est responsable du discours tenu. Certains linguistes préfèrent réserver le terme **énonciateur** à celui qui produit l'énoncé et appeler **asserteur,** celui qui prend en charge l'énoncé — une *assertion* étant une proposition que l'on avance et qu'on soutient comme vraie.

Ainsi, Paul n'est que locuteur dans les troisième et quatrième énoncés, alors qu'il est à la fois locuteur et énonciateur des deux premiers énoncés. Dans le dernier énoncé, il n'est que locuteur en ce qui concerne la maladie de Marie mais est énonciateur dans la mesure où il avance que cette maladie est fausse, par la substitution de *sous prétexte que* à *parce que.*

### Énonciation plurielle émanant d'une seule personne

Il y a polyphonie quand plusieurs voix se mêlent dans un même énoncé. Ces voix peuvent provenir de personnes différentes mais aussi d'une même personne qui, à travers un énoncé, énonce plusieurs faits. Quand je dis par exemple que *Pierre n'est pas venu à la soirée,* j'énonce également que *Pierre aurait pu venir à la soirée.* Coexistent en moi en quelque sorte deux énonciateurs : l'un qui pose la non-venue de Pierre, l'autre l'éventualité de sa venue.

Le linguiste Robert Martin parle d'**anti-univers**, c'est-à-dire d'un ensemble de propositions qui, quoique fausses au moment de l'énonciation, <u>auraient pu être vraies</u> ou que l'on imagine telles, ce qui revient à dire qu'il existe des mondes contrefactuels où elles sont vraies : *Pierre est* *venu à la soirée* est vrai dans cet anti-univers, alors que *Pierre n'est pas venu à la soirée* est vrai dans l'univers de croyance du locuteur. Cette polyphonie de l'énoncé négatif peut expliquer l'effet de litote créé par la réplique de Chimène à Rodrigue : *Va, je ne te hais point* (*Le Cid* de Corneille, acte III, scène 4). *Je ne te hais point* dit également : *J'aurais pu te haïr, j'aurais eu toutes les raisons de te haïr. C'est pourquoi ne pas te haïr est une immense preuve d'amour.*

Freud, dans son article intitulé « Die Verneinung » dont la traduction française est « La Dénégation », a même montré qu'un énoncé négatif était souvent l'expression de cet énoncé à la forme affirmative. Si un patient raconte un rêve où est présente une femme et qu'il éprouve le besoin de préciser que cette femme n'était pas sa mère, le psychanalyste peut en déduire que cette figure onirique représentait sa mère. Dire *ce n'était pas ma mère*, c'est dire *ç'aurait pu être ma mère*, c'est dire ce qu'on refuse de reconnaître, c'est refouler ce que l'on veut dire inconsciemment : *c'était ma mère.*

# DE L'ÉNONCIATION
# À LA CO-ÉNONCIATION

Toute énonciation implique l'autre, même si l'on est seul. Cet autre, il faut le convaincre, l'émouvoir, le pousser à agir. La rhétorique, discipline née dans l'Antiquité, avait pour fonction d'apprendre aux futurs orateurs à bien s'exprimer, pour que leur discours ait une portée, influe sur l'autre.

Même si les classes de première ne s'appellent plus classes de rhétorique, même si la rhétorique, en tant que discipline à part entière, n'est plus guère enseignée, l'art de bien parler est toujours d'actualité et tout aussi utile lorsqu'on est avocat que pour la quête d'un emploi. D'ailleurs, l'ANPE organise des stages de techniques d'entretien pour apprendre aux demandeurs d'emploi à rendre leur parole efficace en vue d'une embauche.

Le linguiste Roman Jakobson a tenté d'établir un schéma de la communication selon six pôles auxquels correspondent des fonctions différentes :

### Schéma de la conversation

```
                          contexte
destinateur --------------- message --------------- destinataire
                          contact
                          code
```

### Fonctions correspondantes

```
                      fonction référentielle
fonction émotive -------- fonction poétique -------- fonction conative
                      fonction phatique
                      fonction métalinguistique
```

Le **destinateur** est celui qui parle, le locuteur. Lorsque le message trahit les pensées ou les sentiments du locuteur, lorsqu'il est teinté de subjectivité, on parle de fonction **émotive** (ou **expressive**). Un énoncé est plus ou moins subjectif. C'est particulièrement le cas dans les monologues lyriques du théâtre (ex. : le monologue de Don diègue qui constitue la scène 4 de l'acte I du *Cid* contient sept exclamations et quatre fausses questions marquant l'indignation du personnage et se rapprochant de ce fait de l'exclamation. À travers ce monologue transparaissent de façon flagrante les sentiments qui animent Don Diègue).

Le **destinataire** est celui à qui le locuteur parle, à savoir l'allocutaire s'il n'intervient pas, l'interlocuteur s'il y a échange verbal. Au destinataire correspond la fonction **conative** (du latin *conor* signifiant *s'efforcer de*). Est conatif ce qui est destiné à produire un certain effet sur le récepteur. Cette fonction est fondamentale : parler est un acte dirigé vers l'autre pour produire des effets variés : une réponse, une émotion, une action, une reconnaissance…

Le **contexte** est à prendre au sens large du terme : ce peut être la situation d'énonciation comme tous les objets ou manifestations du monde observables auxquels renvoie une forme linguistique. La fonction **référentielle** d'un message a trait à l'aspect purement informatif de l'énoncé, à ce à quoi il fait référence.

Le **message** est l'énoncé. Si l'on s'intéresse au message pour lui-même, aux signifiants plus qu'aux signifiés, c'est la fonction **poétique** de l'énoncé qui est prise en compte. Par exemple, le vers d'*Andromaque* de Racine (acte V, scène 5) :

Pour qui sont ces serpents qui sifflent sur vos têtes ?

rappelle le rôle des Érinnyes (ou Furies), divinités infernales qui s'acharnaient après les meurtriers, les tourmentant à coups de fouet ou les faisant mordre par des serpents (fonction référentielle). L'allitération en [s] évoque à la fois le déplacement ondulatoire du serpent mimé par le graphème s et le sifflement du serpent mimé par le phonème sifflant [s] (fonction poétique au service de la fonction référentielle).

La fonction **phatique** (en grec : *phasis* = parole) est ce qui permet d'établir ou de maintenir le **contact** avec l'interlocuteur et de vérifier qu'il vous écoute. L'exemple-type est le *allô* initial des conversations téléphoniques.

Le **code** est la langue que nous utilisons pour communiquer avec l'autre, à savoir un système conventionnel de règles et de signes permettant la production et la compréhension du message. La fonction **métalinguistique** est la fonction réflexive du langage : tous les mots **autonymes** (qui renvoient à eux-mêmes en tant que signifiants ; ex. : *occurrence*, dans une phrase comme *Occurrence a deux c et deux r*), tous les mots de la terminologie de la linguistique, les définitions des dictionnaires ou encore des phrases telles que *J'emploie ce mot dans son sens figuré* relèvent du **métalangage**.

Ces différentes fonctions montrent la complexité du langage : parler est un acte qui nous engage et engage l'autre.

# 1. LES ACTES DE LANGAGE

## 1.1 Acte locutoire, illocutoire et perlocutoire

**Définition**

Dire, c'est agir, tout d'abord en produisant une suite de sons douée de sens qui nécessite la mise en œuvre de notre cerveau, de nos muscles, de nos sens. En cela, dire est un acte **locutoire**.

Tout acte locutoire comprend un autre acte, appelé **illocutoire** (le préfixe *il-*, variante combinatoire de *in-* signifiant *dans,* montre que cet acte est contenu dans tout acte locutoire). Si je dis par exemple *Deux et deux font quatre*, mon acte illocutoire est une affirmation. Si je dis *Entrez*, l'acte illocutoire est un ordre.

Il existe *a priori* autant d'actes illocutoires qu'il existe de verbes impliquant un acte d'énonciation : *affirmer, prétendre, remercier, déplorer, promettre, ordonner, décréter, s'excuser, décrire, inviter*. Certains linguistes, comme John L. Austin et à sa suite François Recanati, ont tenté de dresser un inventaire des différents actes illocutoires et de les classer. Mais cette entreprise se heurte à plusieurs obstacles, comme le rappelle Dominique Maingueneau dans son ouvrage intitulé *Pragmatique pour le discours litté-raire* : faut-il voir dans chaque verbe impliquant une énonciation un acte illocutoire distinct ? Quelle différence faire entre des verbes fonctionnant en relation synonymique comme *pardonner* et *excuser, jurer* et *certifier* ? Certains verbes ne cumulent-ils pas plusieurs actes illocutoires ?

Enfin, un acte illocutoire se veut souvent **perlocutoire** (le préfixe *per* signifiant *au moyen de*), c'est-à-dire apte à produire un effet sur l'allocu-taire, une réaction chez lui. Si je dis à mon fils *Tu as bien travaillé ce trimestre*, l'acte illocutoire d'un pareil énoncé est un compliment pour l'encourager à poursuivre ses efforts (effet perlocutoire). Le perlocutoire rejoint la fonction conative évoquée par Roman Jakobson.

La question appelle en principe une réaction verbale, une réponse. Mais certaines questions sont des ordres déguisés, euphémisés, qui réclament une action non verbale. Beaucoup de questions commençant par *peux-tu* (ou *pouvez-vous*), par *as-tu* (ou *avez-vous*) ou encore *veux-tu* (ou *voulez-vous*) sont en fait des ordres et sont d'ailleurs compris comme tels. Si l'on devait répondre à une question telle que *Avez-vous l'heure ?* sans la considérer comme un **acte indirect**, on répondrait *oui* ou *non*. Ce type d'acte indirect est conventionnel et ne prête pas à des malentendus.

En revanche, si je dis *Je n'ai pas le courage d'aller faire les courses*, l'acte illocutoire est en apparence un constat mais derrière ce constat peut se cacher une demande, voire un ordre, cet énoncé ayant alors pour para-phrase pragmatique *Peux-tu aller faire les courses à ma place ?*, et ayant pour visée l'exécution de l'ordre implicite. Il s'agit là encore d'un acte indirect mais, à la différence de l'autre exemple, il est possible que l'inter-locuteur ne le prenne pas comme tel.

Si je dis *Puisque je te le dis, c'est que c'est vrai*, l'acte perlocutoire créé par l'utilisation de la proposition introduite par *puisque* est la persua-sion au moyen d'un argument à la fois fort dans la mesure où j'engage ma responsabilité et faible dans la mesure où il n'apporte aucun argument réel et où il manifeste que je suis à court d'arguments ou que mon interlocuteur n'est de toute façon pas convaincu.

Il existe des couples d'actes illocutoires et perlocutoires : un énoncé a pour acte illocutoire une question, l'acte perlocutoire attendu sera une réponse. Par un énoncé argumentatif, l'énonciateur cherchera à persuader son interlocuteur. Mais généralement, l'acte perlocutoire est variable suivant le contexte. Dire *Paul est venu me voir* est une affirmation qui peut avoir pour actes perlocutoires informer l'allocutaire, le surprendre, le blesser… D'ailleurs, un énoncé peut être proféré pour susciter une certaine réaction chez l'allocutaire qui néanmoins ne va pas réagir comme l'énonciateur l'attendait.

On voit donc que, si on peut se risquer à établir un inventaire des actes illocutoires, la classification des actes perlocutoires relève du défi car ils sont étroitement liés au contexte et sortent du domaine purement linguistique. À l'action énonciative correspondent de multiples réactions : verbales, affectives, physiques…

Dire, c'est agir, et c'est particulièrement vrai dans le cas des énoncés dits **performatifs**.

## Les énoncés performatifs

Lorsque nous avons abordé les embrayeurs temporels, nous avons vu que le présent d'énonciation coïncidait avec le présent linguistique dans des énoncés dits **performatifs**, c'est-à-dire des énoncés dont l'énonciation accomplit l'action qu'ils expriment. Ces énoncés ont été notamment étudiés par le linguiste John L. Austin dans son ouvrage au titre évocateur : *How To Do Things with Words* dont la traduction française est *Quand dire c'est faire.*

Comparons ainsi *Je marche* et *Je te le promets.* Il ne suffit pas de dire *Je marche* pour avoir marché, alors que dire *Je te le promets* réalise l'action de promettre. La différence qui existe entre ces deux verbes est que l'un est un verbe d'action alors que l'autre implique une énonciation. Certains énoncés en apparence synonymiques diffèrent par leur performativité : *Je m'excuse,* que le bon usage condamne puisque c'est à l'autre de vous excuser et non à soi-même, est un énoncé performatif dans la mesure où il suffit de dire *Je m'excuse* pour s'être excusé. En revanche, *Excusez-moi* ne l'est pas puisque la réalisation de l'acte contenu dans l'énoncé dépend de l'allocutaire.

Certains énoncés performatifs révèlent un pouvoir du verbe, capable d'agir sur autrui. Mais ce pouvoir n'existe qu'à certaines conditions linguistiques et extra-linguistiques. Prenons le cas du verbe *baptiser*. Pour que l'énoncé *Je te baptise* réalise par son énonciation l'acte de baptiser, il faut d'une part que l'énoncé soit au présent momentané et à la première personne du singulier, d'autre part, que cette phrase soit énoncée par un représentant de l'Église. Ces trois conditions doivent être réunies : si un prêtre dit *Je baptise des enfants chaque dimanche* ou *Je le baptiserai plus tard*, si quelqu'un d'autre qu'un représentant de l'Église dit *Je te baptise*, en aucun cas l'énonciation n'accomplit l'acte décrit par l'énoncé. Contrairement aux énoncés performatifs tels *Je te remercie* ou *Je te le promets* qui restent en principe dans les limites du verbal et qui, d'ailleurs, sont performatifs quel que soit le locuteur, un énoncé comme *Je te baptise*, par le simple fait de l'énonciation, devient acte.

Ce pouvoir de transformer la parole en acte n'est donc pas donné qu'aux fées, aux magiciens et aux sorciers. Il appartient aussi à certaines personnes, notamment dans le domaine religieux, juridique et même politique. C'est le pouvoir de ceux qui président et qui utilisent des formules sacramentelles, magiques : *Je déclare la séance ouverte,* prononce le magistrat et sa parole ouvre la séance. À noter que le verbe introducteur peut être implicite : l'énoncé *La séance est levée* est également performatif.

L'expression *en vertu des pouvoirs qui me sont conférés*, précédant souvent pareilles formules, atteste bien que l'énoncé qui suit, pour qu'il soit performatif, doit être prononcé par une certaine personne. Seul le maire — ou un de ses adjoints — rendra performative la formule *Je vous déclare unis par les liens du mariage*.

Sont performatives les premières paroles de Dieu dans la *Genèse* (*Dieu dit : « Que la lumière soit ! » et la lumière fut*) ou encore les paroles prononcées par le Christ lors de la Cène et reprises par le prêtre lors de la messe au moment de l'Eucharistie qui commémore et perpétue le sacrifice du Christ : *Prenez et mangez-en tous : CAR CECI EST MON CORPS.* […] *Prenez et buvez-en tous : CAR CECI EST MON SANG.* Le pronom démonstratif déictique *ceci* désigne le pain — l'hostie — et le vin qui, par le pouvoir du Verbe divin, deviennent le corps et le sang du Christ. L'énoncé est performatif dans la mesure où c'est un représentant de l'Église qui profère cet énoncé. L'énoncé n'est pas à la première personne du singulier mais le déictique *ceci* renvoie au locuteur et est paraphrasable en *ce que je tiens dans les mains.*

La performativité de l'énoncé crée la transsubstantiation, c'est-à-dire le changement de toute la substance du pain et du vin en toute la substance du corps et du sang du Christ. Ce dogme de la transsubstantiation n'est pas accepté par les protestants qui voient dans le pain et le vin les symboles du corps et du sang du Christ. Pour certains protestants, il y a quand même performativité dans la mesure où l'énoncé crée la présence spirituelle de Dieu ; pour d'autres, il n'y a pas performativité, Dieu n'étant présent que symboliquement.

Cette formule sacramentelle, magique puisque performative, est celle qu'évoque Montesquieu dans *Les Lettres persanes* (lettre XXIV de Rica à Ibben) à travers ces quelques phrases :

> Ce magicien s'appelle le pape : tantôt il lui [le roi] fait croire que trois ne sont qu'un, que le pain qu'on mange n'est pas du pain, ou que le vin qu'on boit n'est pas du vin ; et mille autres choses de cette espèce.

La performativité peut être virtuelle. Dire d'un homme politique qu'il est charismatique, c'est dire qu'il exerce sur son auditoire ce pouvoir de rendre ses paroles potentiellement performatives. D'ailleurs, l'étymologie de *charismatique* (de *charisma* signifiant en grec *la grâce* au sens religieux du terme) en témoigne.

## 1.2 L'argumentation

**Définition**

*Je publiai un article solidement argumenté et aussi persuasif que possible.*

Cette phrase de L. Lecomte citée par le *Petit Robert* à l'article *argumenter* montre le lien qui unit l'acte illocutoire qu'est l'argumentation et l'acte perlocutoire qui est son corollaire, la persuasion.

Argumenter signifie démontrer par des arguments, c'est-à-dire par un raisonnement destiné à prouver ou à réfuter une proposition. S'il est nécessaire d'argumenter pour faire admettre une conclusion, c'est qu'une contestation de la part de l'interlocuteur est possible. Les linguistes Oswald Ducrot et Jean-Claude Anscombre ont étudié ce type d'acte illocutoire dans leur ouvrage intitulé *L'Argumentation dans la langue*. Voici la définition qu'ils en donnent : **argumenter**, c'est « présenter un énoncé E1 (ou un ensemble d'énoncés) comme destiné à en faire *admettre* un autre (ou un ensemble d'autres), E2 » à un interlocuteur.

L'acte argumentatif est souvent utilisé pour modifier ce que dit ou pense l'interlocuteur. En cela, il entretient des rapports étroits avec la polyphonie. Pour illustrer cette idée, étudions un extrait d'*Un amour de Swann* de Marcel Proust :

> Quand [Swann] cherchait à [...] mesurer [son amour pour Odette], il lui arrivait parfois qu'il semblât diminué, presque réduit à rien ; par exemple, le peu de goût, presque le dégoût que lui avaient inspiré, avant qu'il aimât Odette, ses traits expressifs, son teint sans fraîcheur, lui revenait à certains jours. « Vraiment il y a progrès sensible, se disait-il le lendemain ; à voir exactement les choses, je n'avais presque aucun plaisir hier à être dans son lit : c'est curieux, je la trouvais même laide. » Et <u>certes</u>, il était sincère, <u>mais</u> son amour s'étendait bien au-delà des régions du désir physique.

• Dans la dernière phrase, nous avons souligné *certes* et *mais* dont nous allons étudier le fonctionnement :

Cette phrase est précédée d'un passage au discours direct exprimant les pensées de Swann au sujet d'Odette : il a le sentiment de se détacher d'elle, de ne plus lui trouver d'attrait physique. La proposition *il était sincère* renvoie à ce qu'a dit Swann, à son énonciation. Cette proposition est un argument en faveur de la conclusion : *Swann n'aime plus Odette.* Quel rôle joue la conjonction *mais* ? Elle inverse l'orientation argumentative de *certes*, en annonçant un argument plus fort que celui introduit par *certes* : son amour dépasse le physique, argument qui mène à la conclusion implicite : *Swann aime toujours Odette.* La conclusion introduite par *mais* contredit et anéantit celle introduite par *certes*.

À l'énonciation de Swann, le narrateur oppose sa propre énonciation. Le couple *certes... mais* fonctionne généralement de la sorte : *certes* reprend ce qu'a énoncé l'interlocuteur, est une façon feinte ou réelle, en tout cas polie, d'acquiescer à ses dires mais surtout annonce le *mais*, inverseur d'orientation argumentative.

Ce fonctionnement de *certes* en corrélation avec *mais* existait déjà en ancien français mais ce n'était pas le cas le plus fréquent. *Certes* était la plupart du temps utilisé seul et avait pleine valeur d'acquiescement. Ce glissement sémantique qui s'est opéré est mentionné par le *Petit Robert* puisqu'il signale comme sens : 1° *Litt. ou vieilli.* Certainement, en vérité ; 2° Indique une concession.

Ce glissement sémantique est à rapprocher de celui qu'ont connu *certainement, sans doute...*

Parmi les mots argumentatifs dont dispose la langue française, on trouve principalement des adverbes (*même, décidément, évidemment, presque, à peine...*), des conjonctions de subordination (*puisque...*) ou de coordination (*or, donc, mais, car...*). On parle de connecteurs argumentatifs lorsque le mot « connecte », c'est-à-dire unit deux entités linguistiques, lesquelles n'ont pas forcément le même statut.

Étudions l'énoncé suivant : *Il y a du monde sur le périphérique, mais autant le prendre.*

*Il y a du monde sur le périphérique* est un argument amenant deux conclusions :

*– On ne pourra pas rouler vite.*

*– Il vaut mieux ne pas le prendre,* conclusion implicite.

*Autant le prendre* est la conclusion explicite de l'argument implicite : *on ira plus vite qu'en prenant les boulevards extérieurs ou qu'en traversant tout Paris.*

Le connecteur argumentatif *mais* oppose en surface un argument explicite (*Il y a du monde sur le périphérique*) et une conclusion explicite (*autant le prendre*), mais en profondeur une conclusion implicite (*Il vaut mieux ne pas le prendre*) et une conclusion explicite (*autant le prendre*).

De même, examinons comment fonctionne le *mais* de l'énoncé suivant, couramment proféré :

*– Tu m'aimes ?*

*– Mais oui, je t'aime.*

Deux remarques préalables s'imposent :

– la question *Tu m'aimes ?* est rarement une vraie question, dans la mesure où celui qui la pose attend une simple confirmation de ce qu'il sait pertinemment. Cet énoncé fait partie du jeu amoureux. D'ailleurs, que la seule marque de l'interrogation soit à l'oral l'intonation et à l'écrit la ponctuation, révèle peut-être qu'il ne s'agit pas d'une réelle question, contrairement à *M'aimes-tu ?* ou *Est-ce que tu m'aimes ?*

– la réponse comporte obligatoirement *oui*. *\*Mais je t'aime* serait irrecevable.

Qu'oppose donc ce *mais* ? Dans le cas où l'interlocuteur aime réellement le locuteur, le *mais* fonctionne ainsi : *tu me demandes si je t'aime. Ta question n'est pas pertinente car tu sais que je t'aime* (argument implicite). *Aussi ne devrais-je pas te répondre* (conclusion implicite). *Mais je te réponds quand même oui* (conclusion explicite) *parce que je t'aime, que tu as besoin d'être rassuré (e)...* (arguments implicites possibles).

Dans le cas inverse où l'interlocuteur n'aime pas en fait le locuteur, *mais* a le fonctionnement suivant : *tu me demandes si je t'aime. Or, je ne t'aime pas* (argument implicite). *Donc, je devrais te répondre non* (conclusion implicite). *Mais je te réponds quand même oui* (conclusion explicite) *parce que je ne veux pas te blesser, te dire la vérité est inconcevable...* (arguments implicites possibles).

À travers cet exemple, se dessine le lien étroit qui unit argumentation et polyphonie. Dans les deux cas, le *mais* oppose deux énonciations émanant d'une même personne, l'une implicite, l'autre explicite.

*Mais oui je t'aime* traduit souvent un agacement : agacement de répondre à une question non pertinente ou d'être contraint par l'autre à répondre par un mensonge.

Étudions maintenant les adverbes *même* et *toujours,* lorsque celui-ci n'a pas son sens temporel. Pour ce faire, examinons les deux énoncés suivants :

1) *J'aime tous les légumes : les pommes de terre, les carottes, les petits pois et <u>même</u> les rutabagas.*

2) *Allons chez Paul. On y sera <u>toujours</u> mieux qu'ici.*

Dans le premier énoncé, *même* introduit l'argument majeur, décisif en faveur de la conclusion : *J'aime tous les légumes.* Si l'on aime les rutabagas, considérés comme un légume peu apprécié (le *Petit Robert* cite cette phrase de Jean-Paul Sartre : *Nous avions la honte de nous accommoder de notre misère, des rutabagas qu'on servait à table*), on aime *a fortiori* les autres légumes. L'énoncé *\*J'aime tous les légumes : les carottes, les rutabagas, les petits pois et même les pommes de terre* est moins acceptable, aimer les pommes de terre n'étant pas un argument décisif pour aimer tous les légumes.

Venons-en maintenant à l'énoncé comportant un *toujours* argumentatif : *Allons chez Paul. On y sera toujours mieux qu'ici.* Dans cet énoncé, l'argument est *On y sera mieux qu'ici* et la conclusion *Allons chez Paul.* Contrairement à *même, toujours* présente un argument faible. Mais, si faible soit-il, c'est un argument. *Toujours* équivaut dans ce contexte à *au moins,* terme qui révèle le caractère <u>mineur</u> de l'argument avancé.

## Orientation argumentative

Certains énoncés ont une orientation argumentative positive, alors que d'autres en ont une négative. Voici plusieurs couples d'énoncés différant par leur orientation :

1a) *Neuf Français sur dix, en âge de travailler, ont un emploi.*
1b) *Un Français sur dix, en âge de travailler, est au chômage.*

2a) *Il a lu quelques pièces de Racine.*
2b) *Il n'a pas lu toutes les pièces de Racine.*

3a) *Il est un peu inquiet.*
3b) *Il est peu inquiet.*

4a) *Il a presque la moyenne.*
4b) *Il a à peine la moyenne.*

• Les deux premiers énoncés sont, d'un point de vue informatif, rigoureusement identiques. Mais ils ont une orientation argumentative opposée. Le premier énoncé présente un argument en faveur d'une situation économique, somme toute, correcte, alors que le second énoncé est un argument en faveur d'une situation économique alarmante. On pense naturellement au verre à moitié vide ou à moitié plein.

• Les énoncés 2a) et 2b) ont eux aussi un contenu informatif quasi identique. Mais leur orientation argumentative diffère. On peut d'ailleurs l'expliquer par la présence de la négation qui se prête à la polyphonie, comme nous l'avons vu. Dire qu'*il n'a pas lu toutes les pièces de Racine*, c'est aussi dire qu'*il aurait pu les lire toutes,* d'où l'orientation négative d'un pareil énoncé, contrairement à l'autre.

• Les énoncés 3a) et 3b) n'ont pas le même contenu informatif. On pourrait penser qu'entre *peu* et *un peu*, la différence est quantitative, *un peu* marquant un degré supérieur à *peu*. Mais plusieurs phénomènes les opposent : dans l'énoncé *Il est peu inquiet,* est présupposé qu'il soit inquiet et posé le fait qu'il le soit peu, alors que dans l'énoncé *Il est un peu inquiet,* est posé l'ensemble de l'énoncé. De ce fait, l'effet de sens est différent. Dire qu'*il est un peu inquiet* a la même orientation qu'*il est inquiet* et peut d'ailleurs être une litote pour signifier *Il est très inquiet.* En revanche, *Il est peu inquiet* équivaut pour ainsi dire à *Il n'est pas inquiet.*

• Les énoncés 4a) et 4b) livrent également une information différente et ont une orientation argumentative divergente. *Presque la moyenne* équivaut à 9,5, alors que *à peine la moyenne* équivaut à 10,5. Il est donc préférable d'avoir *à peine la moyenne* que *presque la moyenne.* Pourtant, *presque* va dans le même sens que l'énoncé *Il a la moyenne.* Comme cet énoncé a une valeur positive, l'orientation argumentative de *presque* sera positive. Inversement, *à peine* aura dans ce contexte une orientation négative. Cette orientation argumentative a une incidence sur l'information délivrée par *presque* et *à peine,* puisque, parmi des lycéens interrogés sur ces deux énoncés, plusieurs d'entre eux donnaient la moyenne à quelqu'un ayant *presque la moyenne* et ne la donnaient pas à celui qui aurait *à peine la moyenne.*

L'énoncé *Il a presque la moyenne* est un argument en faveur de la conclusion : *s'il poursuit ses efforts, il l'aura le mois suivant.* Il y a en quelque sorte anticipation. L'énoncé *Il a à peine la moyenne* est quant à lui un argument en faveur de la conclusion : *s'il continue à ne pas travailler, il n'aura plus la moyenne le mois prochain.* Là encore, il y a anticipation. Si l'orientation argumentative de *presque* dans un pareil énoncé est positive, contrairement à *à peine,* les sous-entendus peuvent s'inverser. Dire d'un élève qu'*il a presque la moyenne,* c'est parfois sous-entendre qu'il fait certes des efforts mais que ses capacités sont limitées : avoir *presque* la moyenne est bien pour lui. En revanche, dire d'un élève qu'*il a à peine la moyenne,* c'est laisser entendre qu'il gâche ses possibilités en ne travaillant pas.

Certains énoncés ont besoin de l'éclairage du contexte et du co-texte pour connaître leur orientation argumentative. L'énoncé *Marie fait presque soixante kilos* est ambigu : soit Marie pesait soixante-dix kilos et a entamé un régime. Dans ce cas, *presque* est orienté positivement, l'énoncé *Marie fait soixante kilos* ayant valeur positive. Soit Marie pesait cinquante kilos et a malheureusement grossi. L'adverbe *presque* aura alors une orientation négative.

À travers ces exemples, on voit combien l'argumentation joue un rôle capital dans nos rapports avec l'interlocuteur. Chacun essaie de défendre son point de vue pour obtenir l'adhésion de l'autre, le conquérir.

# 2. LA CO-ÉNONCIATION

## 2.1 L'interaction

Si le locuteur agit sans cesse sur l'interlocuteur, la réciproque est vraie. Un des principaux courants linguistiques actuels étudie précisément cette constante **interaction**. Loin d'être passif, le récepteur interprète les paroles du locuteur, les infléchit par son attitude ou ses propres paroles et lui signale qu'il écoute. C'est pourquoi, pour déterminer la signification d'un énoncé, il faut prendre en compte non seulement l'énonciation mais aussi la co-énonciation.

### Phatiques et régulateurs

Même lorsque quelqu'un monopolise la parole, il a besoin de s'assurer l'écoute de l'autre en utilisant des **phatiques** (cf. fonction phatique du schéma de la communication établi par Roman Jakobson p. 95). En retour, l'interlocuteur utilise des **régulateurs** pour témoigner de son écoute. Par exemple, lors d'une conversation téléphonique, si vous écoutez votre correspondant parler sans ponctuer ses paroles de régulateurs, il s'interrompra pour vous dire : *Tu m'écoutes ?*

Le locuteur a non seulement besoin de ces régulateurs d'écoute mais aussi de marques d'assentiment. Un simple geste, comme le froncement de sourcils chez l'interlocuteur, peut perturber le locuteur et le pousser à s'interroger sur ce qu'il a pu dire. La suite de son discours s'en trouve modifiée de différentes sortes, suivant la situation et le degré d'intimité du locuteur et de l'interlocuteur. Par exemple, le locuteur corrigera ce qu'il vient d'énoncer en le modalisant d'un *je crois* ou en se dégageant de toute responsabilité avec un *enfin, c'est ce qu'on m'a dit.*

### Fonctionnement de la conversation

Les linguistes interactionnistes étudient comment fonctionne une conversation et essaient de dégager des règles concernant l'alternance des tours de parole et l'organisation structurale d'une interaction verbale. Nous nous appuierons sur l'ouvrage de Catherine Kerbrat-Orecchioni intitulé *Les Interactions verbales* (1990) qui fait le point sur la question.

Lors d'une conversation idéale, il faut que les participants parlent à tour de rôle, qu'ils ne laissent pas le silence s'établir et qu'aucun d'entre eux ne monopolise la parole ou centre trop son discours sur lui-même. En fait, peu de conversations fonctionnent idéalement : trop de silences ou inversement de chevauchements, prise de parole à un mauvais moment ou par un autre participant que celui prévu.

Une conversation se structure hiérarchiquement en cinq unités. De la plus grande à la plus petite :
– l'interaction ;
– la séquence ;
– l'échange ;
– l'intervention ;
– l'acte de langage.

• **L'interaction** est l'unité maximale et se définit comme une conversation tenue, dans un certain cadre spatio-temporel, par un groupe de participants parlant d'un certain sujet. Des modifications peuvent survenir (ex. : arrivée d'un nouveau participant, changement de cadre ou glissement d'un sujet à un autre) mais, du moment qu'elles ne sont pas brutales, on n'aura pas affaire à une nouvelle interaction.

• Toute interaction est constituée de blocs d'échanges appelés **séquences**. Une forte cohérence — sémantique ou pragmatique — relie les échanges d'une séquence. La plupart des interactions comportent des séquences démarcatives (d'ouverture et de clôture).

Ex. de séquence d'ouverture :

L.1 : *Comment allez-vous ?*     a

L. 2 : *Très bien. Et vous ?*     a'b

L.1 : *Moyen.*     b'

• Cette séquence comporte deux **échanges** (aa' et bb') suivis, ce qui est le plus courant. Mais ils peuvent être également enchâssés (abb'a') ou — plus rare — croisés (aba'b'). Dans cette séquence, L.2 ne prend qu'une seule fois la parole (un tour de parole) mais fait deux **interventions** (une réponse et une question).

Dans une séquence telle que :

L.1 : *À quelle heure part le train ?*     a

L.2 : *A huit heures.*     a'b

L.1 : *Merci.*     b'

l'énoncé du L.2 amalgame la réponse à la question du L.1 et le service rendu. Elle comporte donc deux échanges (aa' : question/réponse et bb' : service/remerciement).

Enfin, dans chaque intervention, est présent un **acte de langage** (cf. p. 97), voire plusieurs.

L'intervention et l'acte de langage sont des unités monologales, puisqu'ils ne sont pris en charge que par un seul locuteur, contrairement aux trois autres unités qui sont dialogales.

Ainsi, toute conversation se structure selon des règles, même si celles-ci ne sont pas toujours perceptibles.

## 2.2 Les lois du discours

Lorsque nous parlons, nous nous efforçons de respecter des lois qui dérivent toutes d'un principe de base : la coopération. Chacun coopère à la conversation afin qu'elle ne tourne pas court.

## Le principe d'intelligibilité

Tout énoncé doit être intelligible et nécessite donc une cohérence grammaticale et lexicale minimale. De plus, le locuteur doit se mettre à la hauteur de son interlocuteur (par exemple, éviter d'employer des termes trop spécialisés face à un interlocuteur non initié).

## Le principe de pertinence

Il faut parler à propos, c'est-à-dire tenir compte de la situation et des paroles prononcées par les différents participants à la conversation. En effet, le non-respect de cette règle est une atteinte à la cohérence, base des échanges verbaux. L'interlocuteur, s'il est un de vos familiers, ne manquera pas de souligner le manque de pertinence de vos propos par une question telle que : *quel rapport avec ce que je viens de dire ?*

## Le principe d'informativité

Tout énoncé doit être informatif. Il ne faut pas parler pour ne rien dire, sauf pour meubler un silence trop long contrevenant aux règles d'une bonne conversation.

Comme tout énoncé est censé être informatif et pertinent, l'interlocuteur essaiera de découvrir une signification là où le sens de la phrase n'est pas informatif. Ainsi, si une femme dit à son mari : *la voiture est vieille*, l'interlocuteur, le sachant déjà, répondra soit : *je le sais* (condamnant par cet énoncé le non-respect du principe d'informativité), soit *oui, il faut la changer* (paraphrase pragmatique de *la voiture est vieille*) ou encore *On n'a pas d'argent* (argument en faveur de la conclusion implicite *On ne peut pas la changer*).

## Le principe d'intérêt

L'énoncé peut être informatif mais ne pas intéresser l'interlocuteur. Or, pour que la conversation se passe au mieux, il faut impérativement capter l'attention de l'autre, le captiver. D'où des formules comme : *Vous ne devinerez jamais ce qui m'est arrivé*, destinées à susciter l'intérêt de l'interlocuteur. Cette règle d'or est bien connue des auteurs et correspond au procédé rhétorique de l'Antiquité appelé *captatio benevolentiae* : avant tout discours ou récit, il importe de gagner l'attention et la bienveillance des auditeurs ou des lecteurs. Ainsi *Le Roman de Tristan et Iseut* par J. Bédier, qui reprend en les traduisant et les adaptant les divers écrits médiévaux de cette légende, commence par cette phrase : *Seigneurs, vous plaît-il d'entendre un beau conte d'amour et de mort ?* Cette question rhétorique est destinée à demander fictivement au lecteur si l'histoire l'intéresse et en même temps à éveiller son intérêt en qualifiant le conte de *beau* et en précisant son thème : l'amour et la mort, sujets qui sont censés toujours plaire.

### Le principe d'exhaustivité et sa contrepartie : le principe d'utilité
Toute information doit être exhaustive mais en même temps être utile. Retenir l'information est aussi condamnable que submerger de détails son interlocuteur.

### Le principe de sincérité
Chaque fois que nous parlons, nous prétendons dire quelque chose de vrai. Mais la sincérité est une notion modulable. La preuve en est l'existence d'adverbes d'énonciation tels que *franchement, sincèrement,* fréquents dans une conversation. Si la sincérité était de règle, ils seraient inutiles. Ils témoignent de :
– l'existence de plusieurs niveaux de sincérité. La sincérité en société est enrobée dans des euphémismes, car sinon, elle contreviendrait aux règles sociales, comme le dit Philinte aux vers 73 et 74 (*Le Misanthrope* de Molière, acte I, scène 1) :

> Il est bien des endroits où la pleine franchise
> Deviendrait ridicule et serait peu permise

L'adjectif *pleine* atteste l'existence de différents degrés de franchise ;
– la fréquence du mensonge. Un *franchement* ou un *sans mentir* révèlent, comme nous l'avons vu, qu'on n'est pas toujours franc et vont jusqu'à

discréditer les paroles du locuteur qui semble colmater une faille en affirmant sa sincérité. En témoigne le célèbre *Sans mentir* (mensonger) du renard dans la fable *Le Corbeau et le Renard* de Jean de La Fontaine. De même, demander explicitement à votre interlocuteur qu'il respecte la règle de la sincérité fait douter de votre propre sincérité. Un passage de *Guerre et Paix* de Léon Tolstoï (tome I, Vᵉ partie, ch. 4, trad.) l'illustre bien :

> « [...] J'espère m'entendre avec elle... Vous les connaissez depuis longtemps, dites-moi, la main sur le cœur, toute la vérité : quelle jeune fille est-ce et comment la trouvez-vous ? Mais dites-moi bien toute la vérité ; parce que, vous comprenez, André risque tant en l'épousant contre la volonté de son père que je voudrais savoir... »
>
> Un instinct obscur avertit Pierre que ces circonlocutions et ces demandes réitérées de dire « toute la vérité » cachaient chez la princesse Maria un manque de bienveillance envers sa future belle-sœur, qu'elle souhaitait qu'il désapprouvât le choix du prince André, mais il dit plutôt ce qu'il sentait que ce qu'il pensait.

Pierre a parfaitement compris que, contrairement à ce qu'elle prétend, la princesse Maria n'espère pas s'entendre avec Natacha, sa future belle-sœur, et attend de Pierre non la vérité qui serait l'éloge de Natacha, mais une critique de cette dernière.

Ces six principes sont respectés dans une conversation idéale mais, en fait, ils sont sans cesse transgressés. Des formules comme *tu me l'as déjà dit* (non-respect de la loi d'informativité), *viens-en au fait* (non-respect de la loi d'utilité) ou encore *ça vient comme un cheveu sur la soupe* (non-respect de la loi de pertinence) en témoignent. Communiquer n'est pas un acte évident : respecter les règles est difficile, d'autant plus qu'il faut également ménager son interlocuteur et se ménager. C'est une des raisons pour lesquelles le principe de sincérité est souvent transgressé. L'acte de communication met en présence des individus qui, à l'image des animaux, défendent leur territoire. S'adresser à quelqu'un est une incursion dans son domaine, d'où les excuses rituelles qui précèdent bon nombre d'échanges verbaux, notamment lorsqu'on pose une question qui appelle une réponse-service. De plus, le locuteur cherche à se valoriser aux yeux de son interlocuteur. Mais se valoriser est un acte subtil. Quelqu'un qui se met trop en avant se dévalorise. Aussi, pour être apprécié de son interlocuteur, faut-il se dévaloriser et le valoriser pour qu'il vous rende la pareille. Mais trop valoriser son interlocuteur et trop se dévaloriser se retournent contre vous. Il faut donc savoir doser cette alliance complexe entre valorisation et dévalorisation.

# CONCLUSION

*Pour Socrate, le monde se livre à l'homme dans l'étonnement.*

Pourquoi ? ne cesse de demander l'enfant, et la mère, agacée de cet incessant questionnement, finit par ne plus répondre et l'enfant par ne plus questionner. Tout serait devenu évident et l'enfant serait alors adulte. Et pourtant, rien n'est évident, et surtout pas ce qui nous paraît ainsi, parce qu'appartenant au domaine du naturel, du familier. Tout appelle une explication.

C'est ce qu'ont compris chercheurs et créateurs qui questionnent inlassablement la réalité, lui cherchent une explication ou la montrent sous un jour différent. Que la terre soit plate était une évidence, que le soleil tourne autour de la terre en était également une, excepté pour Copernic. Que l'abricot ressemble à « deux cuillerées de confiture accolées » est une image facile à comprendre, évidente mais, comme on le dit couramment, *il fallait y penser.*

Expliquer, comprendre ne rompent pas le charme du réel. Le langage ne devient-il pas magie, quand on prend conscience qu'il est acte, capable de transformer la réalité ?

On devient linguiste tout d'abord en observant, en écoutant, en ne prenant pas pour des évidences les phrases énoncées. On surprend par exemple un *J'te raconte pas ce qui m'est arrivé hier soir*, énoncé courant, qui prélude à une histoire et qui contredit l'acte même de raconter. Que l'énoncé, dans sa formulation, accroche votre attention, est déjà une approche vers la linguistique. Qu'ensuite, vous vous demandiez pourquoi cet énoncé commence de la sorte et que vous cherchiez à en donner une explication et vous voilà faisant acte de linguiste.

D'où le titre de cet ouvrage : *Approches de la linguistique.* Certes, nous avons voulu rendre compte de différents courants, coexistant ou s'étant succédé, sans prétendre à l'exhaustivité et parfois même en optant pour une simplification quelque peu réductrice, afin de rendre lisible notre ouvrage à tous les néophytes de cette discipline.

Mais, au-delà de ce projet, nous avons tenté de donner au lecteur le goût de la linguistique, l'envie de s'en approcher, de se l'approprier. Notre démarche a surtout été celle d'un questionnement pour que le lecteur apprenne lui-même à se questionner, à acquérir une approche nouvelle de sa langue qui lui semble si naturelle, en somme, à **s'étonner**.

# BIBLIOGRAPHIE

Pour une bibliographie plus exhaustive, consulter le *Guide bibliographique de linguistique française* de Robert Martin et Evelyne Martin, Klincksieck, 1973.

Pour les suppléments et mises à jour de cet ouvrage, consulter la revue trimestrielle *L'information grammaticale* nos 8, 9, 10, 12, 13, 14 et 15 (de janvier 1981 à octobre 1982) et les comptes rendus des nos 55 et 58 (octobre 1992 et juin 1993).

### Chapitre 1. Du phonème au mot

• Sur le phonème

JAKOBSON Roman, *Six Leçons sur le son et le sens*, Éd. de Minuit, 1976.
Linguiste américain d'origine russe appartenant à l'école de Prague, école de phonologie. L'auteur de cet ouvrage préfacé par Claude Lévi-Strauss évoque le caractère bidimensionnel du phonème, plus petite entité linguistique à deux axes (axes syntagmatique et paradigmatique) et les traits distinctifs des phonèmes, seules entités irréductibles.

MARTINET André, *La Description phonologique*, Droz et Minard, 1956.
Les trois premiers chapitres (p. 11 à 47) sont consacrés au classement des différents phonèmes selon leur prononciation et au rôle de la prosodie.

GOUGENHEIM Georges, *Éléments de phonologie française*, publications de la faculté des Lettres de l'université de Strasbourg, 1935.
La deuxième partie est consacrée à la morphophonologie et aux alternances vocaliques ou consonantiques porteuses de sens.

• Sur le signe linguistique

PLATON, *Cratyle*, Garnier-Flammarion, 1967.
Ce dialogue met en présence Cratyle, pour qui le lien entre signifiant et signifié est motivé, et Hermogène, disciple d'Héraclite, pour qui ce lien n'est que pure convention. Socrate, qui prend part à cette conversation, affirme que les mots reflètent non le monde mais l'image que les hommes s'en font. La conclusion qui s'impose alors est qu'il vaut mieux se référer aux idées plutôt qu'aux mots pour accéder à la connaissance. Ce dialogue, réflexion sur le langage, est ainsi et surtout une réflexion sur la connaissance : peut-on accéder à la nature intime des

choses par le langage ? Ce rapport étroit posé entre langage et cognition, loin d'être dépassé, est au cœur des diverses recherches actuelles.

SAUSSURE Ferdinand de, *Cours de linguistique générale* (1ʳᵉ éd. 1915), Payot. Mais se référer à une édition récente.
Lire en particulier l'introduction où sont définis l'objet de la linguistique et la phonologie et où est opérée la distinction entre langue et parole, ainsi que le premier chapitre de la première partie consacré à la nature du signe linguistique.

JAKOBSON Roman, *Six Leçons sur le son et le sens* (cité précédemment).
Jakobson montre que le lien entre signifiant et signifié n'est pas seulement arbitraire, comme le signalait Saussure, mais aussi nécessaire.

BÉCHADE Hervé D., *Phonétique et morphologie du français moderne et contemporain*, P.U.F., 1992.
Lire tout particulièrement le premier chapitre de la deuxième partie consacré à la formation des mots (les différents types de dérivation et de composition).

• Sur la sémantique lexicale : étude du sens du mot

POTTIER Bernard, *Linguistique générale*, Klincksieck, 1974.
Dans le chapitre sur le signe linguistique (inclus dans la partie « Langage et communication »), l'auteur distingue le sémantème (sème spécifique) du classème (sème générique) et du virtuème (sème virtuel, connotatif). De la page 61 à la page 96, il traite de l'analyse sémantique : comme nous l'avons fait pour l'abricot, il étudie différents moyens de locomotion et cris d'animaux.

GREIMAS Algirdas-Julien, *Sémantique structurale*, Larousse, 1966.
Cet ouvrage relativement complexe situe la sémantique parmi les autres disciplines sémiologiques et montre comment l'analyse sémique peut être exploitée dans les textes littéraires (le dernier chapitre est consacré à l'étude de Georges Bernanos).

GOUGENHEIM Georges, *Les Mots français dans l'histoire et dans la vie*, Picard, 1966, 3 tomes.
L'évolution diachronique qu'ont connue les mots est présentée de façon thématique. Par exemple, le chapitre 5 est consacré aux activités humaines : on y trouve l'histoire du verbe *travailler*, de ses concurrents et de ses dérivés.

GUIRAUD Pierre, *La Sémantique*, P.U.F. (Que sais-je ?), 1955.
Lire notamment l'explication de l'évolution sémantique du substantif *tête* (p. 39 à 41).

PICOCHE Jacqueline, *Précis de lexicologie française*, Nathan, 1994 (1ʳᵉ éd. 1977).

Le sous-chapitre « Un signifiant... combien de signifiés ? » du chapitre IV est particulièrement intéressant car il soulève le problème de la polysémie et de l'homonymie.

FRANCKEL Jean-Jacques, *Étude de quelques marqueurs aspectuels du français*, Genève, Droz, 1989.
Dans cet ouvrage très complexe mais très stimulant intellectuellement, J.-J. Franckel montre comment certains mots ont un fonctionnement unique permettant de rendre compte d'une multiplicité de valeurs sémantiques. Il rejette donc l'idée de polysémie qui n'est que de surface, d'homonymie et de synonymie. Pour un compte rendu de cet ouvrage, consulter le n° 52 de *L'Information grammaticale* (janvier 1992).

## Chapitre 2. Du mot à la phrase

• Sur la construction de la phrase

TESNIÈRE Lucien, *Éléments de syntaxe structurale,* Klincksieck, 1959.
Ouvrage qui se veut pédagogique. Outre les phrases présentées sous la forme de stemmas, l'auteur examine les différents mots de la langue, en particulier les jonctifs et les translatifs. La partie la plus intéressante est celle consacrée à la valence des verbes et à la diathèse (qui exprime l'attitude du sujet par rapport au procès, alors que la voix est une catégorie purement grammaticale). Il montre, par exemple, que le verbe *faire* permet de rendre transitif un verbe intransitif comme *tomber* : on parlera alors de diathèse causative pour une périphrase du type *faire tomber.*

NIQUE Christian, *Initiation méthodique à la grammaire générative*, Armand Colin, 1974.
Cet ouvrage très clair est conçu pour des non-spécialistes de la grammaire générative.
On peut naturellement lire les ouvrages de Noam CHOMSKY, linguiste américain, en particulier *Le Langage et la Pensée*, Payot, 1970, qui situe la grammaire générative dans l'histoire de la linguistique.

MOLINO Jean et GARDES-TAMINE Joëlle, *Introduction à l'analyse de la poésie*, P.U.F., 1988, tome 2.
De la p. 153 à la p. 159 est évoqué le lien entre hermétisme et isotopie.

RASTIER François, *Sens et Textualité,* Hachette, 1989.
La majeure partie de cet ouvrage est consacrée aux isotopies avec une seconde partie qui est une mise en application.

• Sur le mot dans la phrase

On peut certes consulter, pour des études plus ponctuelles, les différents ouvrages de Gustave GUILLAUME, mais il est préférable d'aborder la linguistique guillaumienne par la lecture de l'ouvrage suivant :

MOIGNET Gérard, *Systématique de la langue française,* Klincksieck, 1981.
Cet ouvrage se présente en deux parties : 1. la prédicativité. 2. les parties de langue non prédicatives (dans la terminologie guillaumienne, un mot est prédicatif quand il peut faire phrase à lui seul).
La théorie guillaumienne, d'un abord complexe, mérite vivement d'être connue des étudiants car elle cherche à expliquer plus qu'à décrire les phénomènes linguistiques, et est exploitable en grammaire, quel que soit le niveau d'études.

SOUTET Olivier, *La Syntaxe du français*, P.U.F. (Que sais-je ?), 1989.
Des analyses très claires d'inspiration guillaumienne.

**Chapitre 3. De la phrase à l'énoncé**

• Sur le sens et la signification

MARTIN Robert, *Inférence, Antonymie et Paraphrase*, Klincksieck, 1976.
Lire la deuxième partie du chapitre 1 (p. 16 à 21) qui confronte les trois notions : sens, signification et information.

MARTIN Robert, *Pour une logique du sens*, P.U.F., 1983.
L'auteur défend la thèse de la relativité de la vérité et introduit les notions d'univers de croyance et de mondes possibles. Le lien entre sens et vérité est examiné.

Les ouvrages de R. Martin peuvent dérouter l'étudiant car l'auteur utilise des symboles logiques mais ils sont d'une rigueur et d'une clarté exemplaires.

*Sémantique et cognition*, sous la direction de Danièle DUBOIS, C.N.R.S. Éditions, 1993.
Cet ouvrage regroupe plusieurs articles autour des notions de prototype et de typicité. Lire plus particulièrement les interventions de Georges KLEIBER (« Prototype et prototypes : encore une affaire de famille ») et de R. MARTIN (« Typicité et sens des mots ») qui ont le mérite d'être claires et instructives.

CORNULIER Benoît de, *Effets de sens*, Éd. de Minuit, 1985.
L'auteur distingue, dans une perspective de sémantique pragmatique, sens et effets de sens.

• Sur l'explicite et l'implicite

KERBRAT-ORECCHIONI Catherine, *L'implicite*, Armand Colin, 1986.
Ouvrage de référence sur la question de l'implicite. Lire en particulier le deuxième chapitre définissant les différents types de contenus implicites, en particulier le présupposé et le sous-entendu. Elle définit clairement le sous-entendu comme « tributaire du contexte énonciatif » alors que le présupposé ne dépend pas « du cadre énonciatif ».

MARTIN Robert, *Inférence, Antonymie et Paraphrase* (cité précédemment).
Lire tout le chapitre 2 consacré à la relation d'inférence (présupposition et implication).

MAINGUENEAU Dominique, *Pragmatique pour le discours littéraire*, Bordas, 1990.
Le chapitre 4 est entièrement consacré aux présupposés et aux sous-entendus. Les exemples cités par l'auteur sont puisés dans la littérature et clairement expliqués. Lire également au chapitre précédent l'étude comparative de *car*, *parce que* et *puisque*.

## Chapitre 4. De l'énoncé à l'énonciation

• Sur les embrayeurs

BENVENISTE Émile, *Problèmes de linguistique générale*, Gallimard, 1966, tome 1.
Ouvrage capital pour tout ce qui concerne l'énonciation. Lire en particulier le chapitre 20 intitulé « La nature des pronoms ».

PERRET Michèle, *L'Énonciation en grammaire du texte*, Nathan, (collection « 128 »), 1994.
L'ouvrage fait le point sur certains éléments énonciatifs. Une étude exhaustive des embrayeurs.

• Sur les adverbes d'énonciation

NAEGELI-FRUTSCHI U. H., *Les Adverbes de phrase : leur définition et leur emploi en français contemporain*, thèse, 1987.
Cette thèse peut être consultée dans beaucoup d'universités. Elle fait le point sur les différentes définitions de l'adverbe de phrase (et d'énonciation) qui ont pu être données. L'auteur propose ensuite sa propre définition des adverbes de phrase d'après certains critères et tests.

MARCHELLO-NIZIA Christiane, *Dire le vrai : L'adverbe « si » en français médiéval*, Genève, Droz, 1985.

Ouvrage consacré aux différents sens de *si* en ancien français. L'auteur montre le lien qui unit ce mot aux notions de vérité et d'énonciation.

« Valeurs modales et opérations énonciatives » d'Antoine CULIOLI dans *Le Fran-çais moderne* n° 46, 1978 (p. 300 à 317).

Antoine Culioli étudie les différents effets de sens de l'adverbe *bien* pour dégager l'opération fondamentale dont il serait le marqueur.

• Sur la polyphonie

DUCROT Oswald, *Le Dire et le Dit*, Éd. de Minuit, 1984.

Dans le dernier chapitre intitulé « Esquisse d'une théorie polyphonique de l'énon-ciation », Oswald Ducrot distingue les différentes instances énonciatives (sujet parlant, locuteur, énonciateur).

FREUD Sigmund, *La Dénégation*, trad. Le Coq-héron, 1982.

Une approche psychanalytique de la polyphonie abordée à travers la notion de refoulement.

GENETTE Gérard, *Figures III*, Le Seuil, 1972.

Ouvrage de référence pour aborder les textes littéraires. Lire tout ce qui concerne la focalisation (p. 206 à 223) et le dernier chapitre intitulé « Voix ».

### Chapitre 5. De l'énonciation à la co-énonciation

• Sur les actes de langage

AUSTIN John- L., *Quand dire c'est faire*, Le Seuil, 1970.

L'ouvrage se présente sous forme de conférences sur la notion de performativité qu'a tenues Austin, philosophe anglais.

RÉCANATI François, *Les Énoncés performatifs,* Éd. de Minuit, 1981.

Cet ouvrage fait le point sur la performativité.

ANSCOMBRE Jean-Claude et DUCROT Oswald, *L'Argumentation dans la langue*, Philosophie et langage, Mardaga, 1983.

Lire en particulier l'étude de *même* (p. 57 à 67).

*L'Argumentation* (Colloque de Cerisy), Philosophie et langage, Mardaga, 1987.

Lire l'intervention de Jean-Claude ANSCOMBRE : article intitulé « Dynamique du sens et scalarité » (p. 123 à 146), sur le lien entre information et argumentation.

• Sur la co-énonciation

KERBRAT-ORECCHIONI Catherine, *Les Interactions verbales*, Armand Colin, 1990, tome 1.
L'auteur étudie le fonctionnement de la conversation et justifie la notion d'interaction.

« Logique et conversation » de H. Paul GRICE, dans *Communications* n° 30, Le Seuil, 1979.
Article de référence sur les maximes conversationnelles.

# INDEX

(Les chiffres renvoient à la page où est définie la notion)

## Dans la même collection

N° de projet : 10029805 - (II) - (5) - OSBT - 80 - DB — Août 1995
Imprimé en France par Pollina, 85400 Luçon - n° 68131